afgeschreven

Mijn lievelingsdier is gebraden kip

Bies van Ede

Mijn lievelingsdier is gebraden kip

Met tekeningen van Kees de Boer

Van Goor

NEDERLANDSE
KINDERJURY
2007

ISBN-10 90 00 03730 1
ISBN-13 978 90 00 03730 8
NUR 282
© 2006 Uitgeverij Van Goor
Unieboek BV, postbus 97, 3990 DB Houten

www.van-goor.nl
www.unieboek.nl
www.biesvanede.nl
www.keesdeboer.com

tekst Bies van Ede
illustraties Kees de Boer
omslagontwerp Mariekes Ontwerp
zetwerk binnenwerk Mat-Zet, Soest

Cocks Bistro

PROEFPERSONEN GEVRAAGD. Het stond er echt. PROEFPER-
SONEN GEVRAAGD. KINDEREN GEEN BEZWAAR. AANMELDEN
BIJ COCKS BISTRO.

De vier kinderen keken elkaar aan. Ze stonden bij het
prikbord in de supermarkt. Step, die blond en stevig was,
sabbelde op de punt van haar paardenstaart. Het leek alsof ze nadacht. Het léék.

'Een proefpersoon...' zei Camiel, 'dat is toch iemand... op wie ze proefjes doen?'

'Welnee,' zei Dikkie. Hij had een gezicht vol sproeten
en was de kleinste van de vier. 'Een proefpersoon mag
proeven. In Cocks Bistro. Dat staat er. Wat zou een bistro
zijn?'

'Een stal? Iets met stro?' zei Bella.

Ze keek om zich heen. Er waren wel veel mensen in de
supermarkt, maar toch was het er leeg. Iedereen ver-
drong zich onder het apparaat dat koude lucht blies.
Buiten was het zó warm dat de ijsboer alleen gesmolten
ijs verkocht.

'Voor de zekerheid,' zei Dikkie. Hij trok het kaartje
van het prikbord.

'Gingen we nog iets kopen?' vroeg Step. 'Ik ben, geloof
ik, wel weer koel.'

'Ja, vuilniszakken voor Sjef toch?' zei Dikkie. Hij rammelde met de muntjes in zijn broekzak.

'Laten we die maar snel kopen en weer naar buiten gaan,' zei Camiel. 'Er komen straks misschien weer bussen.'

Ze deden hun boodschap, betaalden en liepen de schuifdeuren door, het grote plein op. Er was net een bus vol toeristen aangekomen. De toeristen drentelden over het enorme plein. Er was nergens schaduw, want ze waren vergeten bomen neer te zetten toen het plein gebouwd werd. Zonlicht spatte van de zilveren deksels op het ijskarretje.

Halmare, waar de kinderen woonden, was de modernste stad van het land. Vandaar dat toeristen er van overal met bussen naartoe kwamen. Ze vergaapten zich aan de gebouwen en gingen dan opgelucht weer naar huis. Ze waren dolblij dat zij zelf niet in Halmare woonden.

Halmare was érg, érg modern. Vroeger was modern: hoge flats en brede straten waar een hoop auto's kunnen parkeren. Veel asfalt was vroeger modern en weinig groen ook.

Tegenwoordig was alleen weinig groen nog modern. Hoge flats en brede straten waren uit. Alles leek zo op elkaar door die flats, vonden de mensen. Je wist nooit waar je was.

Daarom waren lage flats nu modern. Flats en huizen die allemaal van elkaar verschilden. Je zag er niet één die leek op de ander. Het was alsof heel veel kinderen met enorme legostenen hadden zitten bouwen. Alles was steeds zó anders, dat je nooit wist waar je was. Je kon je suf verdwalen in Halmare.

Brede straten waren er niet in de stad, juist niet. Het was overal smal en kronkelig. Auto's moesten in ondergrondse garages worden geparkeerd. Boven die garages lagen pleinen met supermarkten en moderne winkels.

Het kon nóg moderner. Ergens in het noorden van het land werd een stad gebouwd die niet eens meer in de openlucht stond. Gelukkig was die stad nog niet klaar, anders zouden de toeristenbussen Halmare voorbij zijn gereden en dat had de kinderen een hoop geld gescheeld.

Bella keek naar het kaartje in Dikkies hand. 'Ik weet het niet…' zei ze. 'Proefpersonen. Zijn dat personen die mogen proeven of zijn dat personen van wie geproefd wordt?'

Dikkie keek haar vermoeid aan. 'Het zijn personen die mogen proeven! Dat zei ik toch al? Kom op, voor je het weet zijn we te laat. De vuilniszakken brengen we straks wel naar Sjef.'

'En waar is Cocks Bistro dan?' vroeg Camiel.

Dikkie las het adres voor dat onder aan het kaartje stond. Het zei hen niets, maar dat betekende niet zoveel. Zelfs hun eigen school konden ze na een week vakantie niet meer terugvinden.

'Misschien weet de ijsboer het,' zei Step. Ze liep naar het karretje. De ijsboer was bezig met een reclamebord. NIEUW: IJSPAP!

'Weet u Cocks Bistro?' vroeg ze. Ze las het adres voor. Tot haar verrassing wist de ijsboer het. Hij kon nog uitleggen hoe ze moesten lopen ook.

'Moeten we niet vragen of Sjef ook mee wil?' vroeg Bella. 'Anders is het niet eerlijk. En dan kunnen we hem meteen de vuilniszakken geven. Hij heeft door de telefoon niet gezegd waar hij ze voor nodig had.'

Haar vriendjes hadden ook al bedacht dat Sjef eigenlijk mee moest. Maar ja, Sjefs moeder vond het vast niet goed. Sjef mocht niets, omdat hij opeens allergisch was geworden. Een paar weken geleden was er nog niks met hem aan de hand geweest. Toen was hij zomaar ziek geworden. Hij lag al sinds de eerste vakantiedag met acute zomerallergie in bed.

Step en Sjef waren de dikste vrienden van allemaal. Sjef bijna twee keer zo dik als Step.

'We gaan eerst zelf kijken,' zei Dikkie. 'Kunnen we Sjefs moeders uitleggen dat er niet te veel zonlicht is voor zijn allergie. Misschien mag hij dan mee.'

Dat vond iedereen een goed idee.

'Rechtdoor toch?' vroeg Camiel toen ze het plein waren overgestoken.

Ze wisten het niet meer en dus vonden ze Cocks Bistro per ongeluk.

Cocks Bistro was geen stal, het was een restaurant. Het lag aan een smal straatje met huizen die alle kanten op scheef stonden. Het restaurant was het enige rechte gebouw in de straat. COCKS BISTRO. EERLIJK ETEN stond er op een uithangbord.

'Ik heb liever heerlijk eten,' zei Step.

Ze bleven van een afstandje kijken. Een autootje dat voor het restaurant geparkeerd stond, trok op met een grommende motor. Achter het stuur zat een magere vrouw met schreeuwende kleren. Ze reed bijna tegen een bestelbusje op dat geen achterruiten had. De kinderen zuchtten teleurgesteld. Jammer, van een lekkere botsing kon je een hoop lol hebben. Het busje verdween toeterend achter de huizen.

Ze staken over. Kon je aan de buitenkant zien waarom het restaurant proefpersonen vroeg? Het zag er gloednieuw uit, alsof het plastic er nog maar net vanaf was gehaald.

De deur ging open en een man in een wit pak en met een blauw schort voor gooide een bak bevroren water leeg op de stoep. Het maakte een geluid alsof er glas brak.

Hij zag de kinderen staan en zette zijn armen in zijn zij. 'Watmoetdathebbenjullienietsbeterstedoen?'

De vrienden keken elkaar aan. Ze hadden nog nooit iemand zo snel horen praten.

Leuk, dacht Bella. Kijken of ik dat ook kan. 'Wekomen-opuwkaartjeaf,' zei ze.

Met een paar razendsnelle stappen stond de man met het schort tegenover hen. 'Zeg dat dan meteen.'

Ze bekeken elkaar even stil. Bella dacht dat de man kaal was, maar hij bleek heel kort spierwit stekelhaar te hebben.

Camiel vroeg zich af hoe iemand aan zulke dikke vingers kwam. Veel worst eten? Dikkie bedacht zich dat de man het bloedheet moest hebben in zijn dikke witte kleren. Step dacht niets, die sabbelde, zoals meestal.

De man keek hen allemaal doordringend aan. Bijna alsof hij wilde zien of hij hen misschien al kende.

Net toen Bella wat ongemakkelijk werd van het heen en weer gekijk, zei de man: 'Nou, kom mee.'

Het klonk zo streng dat ze niet durfden te weigeren. Ze liepen achter hem aan het restaurant in.

'Cock is de naam. Ik ben hier de kok, de ober en de eigenaar.'

Hij stak een enorme hand uit. De kinderen schudden hem.

'En waarom willen jullie proefpersoon zijn?'

'Omdat u daarom vroeg,' zei Bella.

'Kinderen geen bezwaar,' legde Camiel nog extra uit.

'Ja ja.' Cock zakte op een stoel. 'Kinderen kennen kinderen, als het goed is.' Hij had heel kleine ogen – of een héél groot gezicht. Zijn blik priemde. Toen sprong hij op. 'Volgens mij lusten jullie niets.'

'Ik lust alles,' zei Step beledigd.

'Vuile pens? Varkenspoot?'

'Worst!' zei Dikkie, die dacht dat Cock hen uitschold en iets wilde terugzeggen.

'Verse worst? Bloedworst? Saucijzen?'

Daar had Dikkie zo snel geen antwoord op.

Cock ging weer zitten. 'Hamburgers, zeker, hè? En diepvriessaté,' zei hij moedeloos.

Step begon te glimmen. 'Nou, lekker. Mogen we dat gratis proeven, als proefpersoon?'

Cock zette zijn kaasronde gezicht in zijn handen. Hij staarde in de verte.

'U bent hier toch nieuw?' vroeg Bella.

'Wie niet?' antwoordde Cock. 'Jullie toch ook?'

Daar had hij gelijk in. Iedereen was nieuw in Halmare. Bella woonde er pas twee jaar, Step en Dikkie ook. Camiel was zelfs nog nieuwer. Die zat net een jaar bij hen op school. Van Sjef wist Bella het niet. Die woonde het langst van allemaal in Halmare, dacht ze.

'Ik ben open sinds de zomervakantie. In de vakantie zijn proefpersonen vrij. En hun kinderen dus ook.'

'Zeg nou,' drong Step aan. 'Mag je gratis proeven als je proefpersoon bent?'

Cock keek haar aan alsof hij schatte hoeveel plakjes je van Step kon maken.

'Ik was natuurlijk op zoek naar grote mensen,' zei hij.

'Ho ho, er stond "kinderen geen bezwaar",' zei Dikkie.

'Ja, en daar bedoelde ik mee…' Cock kwam overeind, 'dat ze hun kind mochten meenemen.' Hij ging zitten en stond alweer. 'Ach! Dat snappen jullie toch niet!' Hij knakte zijn worstvingers. 'Vooruit dan maar. Omdat jullie de moeite hebben genomen te komen. En omdat jullie kinderen kennen. Jullie mogen iets bijzonders proeven.'

Hij liep naar een klapdeur achter in het restaurant.

'Nou, kom mee! De keuken in!'

De vier vrienden kwamen achter hem aan. Ze aarzelden. Met een vreemde Cock de keuken in gaan, was dat wel vertrouwd?

Toen ze de klapdeur door waren, leek Cock te zijn veranderd. Zijn treurige stemming was in één klap verdwenen. Hij gleed als een kunstschaatser door de ruimte. De kinderen zagen hem verdwijnen achter een hoog aanrecht.

Step had de punt van haar paardenstaart uitgespuugd. Dat deed ze alleen als er iets heel ergs was.

'Het is hier eng,' zei ze met een klein stemmetje. De anderen waren het roerend met haar eens.

In de keuken blonk alles. Glimmende tegels op de muren, overal staal en ijzer. Enorme rijen pannen en koekenpannen zagen ze. Er hingen genoeg wapens om een bende struikrovers een jaar zoet te houden. Messen, bijlen, steekvorken, nog meer messen, weer andere hakbijlen…

En dan die aanrechten! Daar zaten ovens in waar de

12

hitte vanaf sloeg. Overal brandden vuren. Braadpannen sisten gevaarlijk. Uit bakken kokend water kwam stoom omhoog.

De vier vrienden kropen dicht tegen elkaar aan. Ze wisten zomaar opeens wat proefpersonen waren: personen om van te proeven.

Maar ik wíl niet gebraden worden, dacht Bella. Ik ben niet te vreten.

En Step fluisterde tegen Camiel: 'Ik voel me niet zo lekker.'

Cocks dikke roze hoofd verscheen boven een aanrecht. 'Wat staan jullie daar nou? Kom hier, dan gaan we aan de slag.'

Het klonk alweer zó streng dat ze gehoorzaamden. Op een kluitje schuifelden ze naar Cock toe.

Die stond bij een tafel met een enorme stalen kom erop. Er zat een soort dik water in, waar gele kledderbollen in dreven.

'Jullie mogen meehelpen. Er moet geklutst worden.'

'Ge-wat?' vroeg Step, die moed verzamelde. 'We willen niet meehelpen, alleen maar proeven.'

De andere drie knikten.

Cock stak zijn armen in de lucht en liet ze weer zakken. 'Ik ga een romige saus kloppen,' zei hij. 'Dat is eerlijk, dat is heerlijk, dat is een fijn gerecht.'

'Met echte stukjes kind?' vroeg Bella.

Cock keek haar even sprakeloos aan. Toen barstte hij in een bulderend gelach uit. 'Stukjes kind! Haha! Haha! Dat kan helemaal niet eens! Jullie hebben gewoon geen verstand van eten!'

'We eten anders elke dag,' zei Step. 'Wel drie keer en dan tussendoor ook nog.'

'Dat is geen eten,' zei Cock. 'Dat is je volproppen. Eten is…' Hij kreeg een lach op zijn gezicht, alsof hij aan iets leuks van vroeger dacht. 'Eten is… ah!'

De kinderen waren opeens niet zo bang meer. Iemand met zó'n bolle kop en zó'n gelukzalige lach kon niet eng zijn.

'Onze keuken thuis ziet er ook heel anders uit dan hier,' zei Camiel. 'Wij hebben alleen een magnetron.'

De andere kinderen knikten. Bij hen thuis was de keuken heel anders dan hier in Cocks Bistro. Ze hadden een vriezer, een koelkast en een magnetron. En natuurlijk een waterkoker. Geen scherpe messen of hakbijlen, alleen een schaar om verpakkingen open te knippen.

'Kinderen,' zuchtte Cock. 'Kinderen begrijpen niks. Denk je dat ik op kinderen zit te wachten? Nou ja, op ééntje dan.'

'Dat wachten lukt niet erg,' zei Camiel. 'Er komt helemaal niemand. Geen grote mensen en geen kinderen.'

Dikkie vertelde maar niet dat hij het kaartje van het prikbord had meegenomen.

'Ze lusten uw eten zeker niet?' vroeg Dikkie beleefd. Eten uit zo'n martelkamer vol staal en vuur kon nooit lekker zijn, dacht hij.

'O jawel, er is hier iemand die alles lust wat ik maak. Dat ís zo. Dat móét zo zijn! Er is er één.'

'Ik zou best alles lekker willen vinden,' zei Step. 'Maar we hebben nog geen hap gehad.'

Bella moest opeens aan Sjef denken. Ze hadden afgesproken te kijken of proefpersoon zijn eng was voor Sjef en hoe het zat met zonlicht.

'Sjef,' fluisterde ze tegen de anderen.

'Ja?' zei Cock.

'Hoe bedoelt u?' vroeg Dikkie.

'Je zei chef. Ik ben hier de chefkok.'

Dikkie lachte. 'Nee, Sjef is een jongen. Onze vriend.'

'Sjef is ziek,' legde Camiel uit. 'Hij is hartstikke allergisch. Voor geur en voor stof en voor kleurstof en voor huismijt enne… hij ligt al de hele vakantie in bed.'

Cock snoof. 'Kwestie van goed eten,' zei hij. 'Allergie is onzin. Kinderen eten gewoon verkeerd.'

'Nou, Sjef niet,' zei Step. 'Sjef eet helemaal niks.'

Cock viste met zijn blote vingers de gele kledders uit de bak en gooide ze in een schaal. Toen begon hij de kledders op te kloppen.

De vier vrienden keken elkaar aan.

Cock klopte alsof het een wedstrijd was. Hij pakte een kan van een plank en nog een en goot dunne straaltjes in de bak. Daarna klopte hij weer verder. Langzaam veranderde de kledder in een soort vla.

'Mayonaise!' zei Cock. 'En die gaan we nu laten afkoelen.'

'Kun je zelf mayonaise maken?' vroeg Dikkie stomverbaasd. 'Dat wist ik helemaal niet! Wij hebben het thuis in een pot.'

'Ik ben kok,' zei Cock. 'Koks kunnen alles zelf maken.'

'Ga weg,' zei Step. 'Ook hamburgers?'

'Liever niet,' zei Cock, 'maar als het móét… ja, dan kan ik dat ook.'

Step had op slag bewondering voor Cock. Zelf hamburgers maken! Hoefde je nooit meer naar de winkel. Kon je midden in de nacht een hamburgertje eten als je zin had.

Cock goot de mayonaise in een fles die hij in de koelkast zette. 'Afkoelen maar,' zei hij.

'Zelfgemaakte mayo,' zei Dikkie. 'Ik wist niet dat mayo eigenlijk gele kledder was.'

'Jongen, jij weet helemaal níks! Niks weet je van eten! Jullie geen van allen.'

Ze hadden er nooit bij stilgestaan. Je kon dus verstand van eten hebben. Was dat iets anders dan alles lusten, of juist niks – zoals Sjef?

'Ik wil best weten hoe je hamburgers maakt,' zei Step.

'O ja?' Cock wiekte met zijn armen. Hij danste heen en weer achter zijn aanrecht. 'Je zou je te pletter schrikken! Je zou niet durven! Je weet niet wat je ziet.'

'Wij durven alles,' zei Dikkie beledigd.

'Nou, kom dan vanmiddag maar terug. Dan zal ik jullie iets laten zien!'

'Hamburgers?' vroeg Step.

'Hamburgers!' Cock had een dikke groene stengel uit de koelkast gehaald en begon er met een groot mes in te snijden. 'Hamburgers!' Hij smeet het mes neer, dat op het metalen aanrechtblad kletterde. 'Ja, hamburgers! Want dat is het enige waar jullie aan kunnen denken.'

'Nee hoor,' zei Step. 'Ook aan frietjes.'

'Of aan kipnuggets,' zei Dikkie. 'Met een milkshake.'

'En aan saté met pindasaus,' zei Camiel.

Maar Bella zei: 'Waspeen.'

'Wespen?' herhaalde Step met afschuw. 'Wespen?'

'Waspeen!' bulderde Cock. 'Boordevol smaak en goede vitamines.' Hij rukte de deur van een enorme koelkast open en haalde er een oranje staafje uit dat nog het meest op een afgehakt vingertje leek.

Step spuugde haar paardenstaart uit. 'Jak,' zei ze hartgrondig.

'Dacht ik wel!' riep Cock minachtend. 'Ben je niet aan gewend, hè, aan puur eerlijk eten?' Hij zwiepte het oranje vingertje terug in de koelkast en trok er een blad met lichtbruine blokjes uit. Met een soort taartschep wipte hij behendig vier blokjes los en hij wierp ze de kinderen toe. 'Opeten, wegwezen en aan het eind van de middag terugkomen.' Met zijn kolenschoppen van handen duwde hij hen de keuken uit.

Pas toen ze buiten stonden, kregen ze de kans de blokjes te bekijken.

'Wat zou het zijn?' vroeg Step. Ze trok haar neus op. 'Dooie planten?'

'Hoe kwam jij nou aan dat woord waspeen?' vroeg Dikkie.

Bella schokschouderde. 'Het schoot me zomaar te binnen.'

Camiel hield het bruine blokje tussen twee vingers omhoog. Hij bekeek het van alle kanten. Zaten er gemene oogjes is? Scherpe tandjes in een slim verborgen bek? Hij zag niets gevaarlijks.

17

Bella durfde als eerste. Ze stak het blokje in haar mond.

Het leek alsof er in haar binnenste een orkestje begon te spelen. Haar mond werd zo groot als een feestzaal. Een zachte zoete warmte ging door haar heen. Ze hoorde violen en vrolijke trompetten. Ze gloeide vanbinnen. Haar tong was een soort danser die het bruine blokje steeds verder omhooggooide. Het blokje smolt en Bella smolt mee.

De andere kinderen zagen het gebeuren. Ze stopten het blokje haastig in hun mond.

Bij Camiel begonnen er vanbinnen kerkklokken te luiden.

Step wist opeens hoe haar paardenstaart eigenlijk hoorde te smaken. Dikkie voelde zich zó mooi dat hij even dacht dat zijn sproeten verdwenen waren.

Toen hun mond weer leeg was, keken ze elkaar wazig aan.

'Meer!' zei Step ademloos. 'Ik wil dat Cock mijn vader wordt!'

De anderen smakten nog wat na op hun lege tong. Ze begrepen precies wat Step bedoelde.

'We moeten Sjef meenemen. Dat moet écht! Die is op slag beter,' zei Bella.

'Ík voel me al beter,' zei Dikkie. 'En ik was niet eens ziek.'

'Als zo'n blokje al zo lekker is...' zei Step. 'Hoe moeten Cocks hamburgers dan wel smaken?'

'Als een circus,' zei Camiel.

Dromerig en stilletjes liepen ze terug naar het grote plein. Ze hadden geen idee hoe vaak ze verdwaalden.

De vier vrienden waren compleet gelukkig door één bruin blokje zoetigheid.

Sjef

Het was middag, bloedheet, en Sjefs moeder hing over het hekje van een balkon. Ze was broodmager. Alle kanten op mager. In haar gezicht glommen priemogen en ze had een steekneus. Ze droeg een snoepgoedroze maillot en een vanillevlageel gympakje.

Camiel kneep zijn ogen dicht.

'Nee, jullie kunnen niet boven komen!' riep ze naar de vier kinderen die op straat stonden. 'Sjef heeft net weer een aanval gehad. Hij is nu ook allergisch voor kleuren. En ik moet fitnessen.'

De kinderen bekeken zichzelf en elkaar. Ze droegen moderne, fleurige kleren. Ze keken omhoog naar de moeder van Sjef. Die was alweer verdwenen.

'Tja,' zei Step.

Dikkie zuchtte zo diep dat zijn sproeten ervan bewogen. 'Rot voor Sjef.'

'Hij was al allergisch voor geluid,' zei Camiel. 'En nou nog voor kleuren ook.'

Bella telde het af op haar vingers. 'Stof, zonlicht, dieren, suiker, stuifmeel...'

'Dat heb ik nooit begrepen,' zei Camiel. 'Wat zou dat voor meel zijn, stuifmeel?'

'Meel stuift altijd,' zei Step. 'Want meel is een soort wit

poeder. Net suiker, maar dan heel anders.'

'Zou stuifmeel dan extra stuivend meel zijn?' vroeg Camiel.

'Dan zou ik er ook niet tegen kunnen,' zei Dikkie. 'Als het in je ogen stuift bijvoorbeeld.'

Er verscheen een autootje uit een gat in de grond. De moeder van Sjef reed de ondergrondse garage uit. Ze vertrok vol gas naar haar fitness.

'We kunnen nog een keer aanbellen,' zei Step. 'Sjef laat ons er vast in.'

Ze liepen naar het trappenhuis en drukten op Sjefs bel.

De luidspreker kraakte en een mager stemmetje zei: 'Mijn moeder is pas over drie uur terug en ik mag niet opendoen. Daar kan ik niet tegen namelijk.'

'Wij zijn het,' zei Bella. 'We hebben je boodschap bij ons.'

De zoemer ging onmiddellijk. De vier vrienden liepen de deur van het trappenhuis door en klommen naar de derde verdieping.

Sjef woonde aan het eind van een schemerige gang die zo grijs was als een rol vuilniszakken. Er brandde hier en daar een neonlampje aan het plafond.

Sjef keek door een kiertje van de deur. Zijn magere gezicht gluurde uit de capuchon van een enorme sweater. Om zijn benen sliertten de pijpen van een trainingsbroek. Sjef zag eruit alsof hij was leeggelopen.

Step stopte bijna met sabbelen. Was dit Sjef wel? Zo herinnerde ze zich hem helemaal niet.

Ook de andere kinderen schrokken. Wat zag Sjef

bleek! En waar waren zijn gezellige bolle wangen gebleven? Met nog maar één kin had hij een heel kaal gezicht.

'Yo,' zei Sjef, en hij stak een harkerig handje op.

'Yo Sjef. Hoe is het met je allergie?'

'Beter dan met mij,' zei Sjef.

De vrienden knikten, dat zag je zo.

Bella stak de vuilniszakken naar hem uit. Sjef nam de rol aan.

'We hebben iets spannends meegemaakt! En we krijgen straks iets lekkers,' zei Camiel.

'Lékker…' zei Dikkie. 'Lékker… man!' Hij zuchtte van voldoening bij de gedachte aan het bruine blokje van daarnet.

'Zoiets als hamburgers extra met extra en dan nog meer extra, zeg maar,' zei Step.

'Je bent in één klap beter,' zei Bella. 'Echt. Zoiets heb je nog nooit geproefd.'

Sjef glimlachte vermoeid. 'Ik word niet eens beter van medicijnen, zegt mijn moeder. Weet je dat ik ook niet meer tegen kleuren kan? Mijn moeder deed pijn aan mijn ogen.'

Oei, dacht Camiel. Dat had ik daarnet ook. Zou allergie besmettelijk zijn?

'Zullen we binnenkomen?' vroeg Dikkie. 'Kunnen we je alles vertellen.'

Sjef schudde zijn hoofd. 'Ik weet niet of ik lang tegen jullie kan, zegt mijn moeder. Jullie hebben veel kleuren.'

Bella sloeg haar armen om zich heen. 'We wilden eigenlijk vragen…'

'...of je met ons meekwam,' zei Camiel.

Sjef schudde sip zijn hoofd. 'Te veel zon buiten en stof en lawaai. Kleuren ook. Nu ga ik weer even liggen, hoor. Gaan jullie maar weg, want als mijn moeder jullie ziet, gaat ze helemaal uit haar bol. Yo!'

'Yo,' mompelden de anderen. Ze sjokten naar beneden. Sjefs moeder was nog maar net weg, maar ze kon terugkomen omdat ze iets vergeten was. En je wilde Sjefs moeder niet boos meemaken. Dan werd haar hoofd vuurrood en dat vloekte enorm bij haar vanille- en zuurstokkleuren.

Tot hun verrassing vonden ze Cocks Bistro al binnen een uur. Een autootje dat net wegreed, miste hen op een haar. De zon spatte in miljoenen kleuren stuk op de voorruit.

'Mafkees!' riep Dikkie. 'Wegpiraat!'

Het autootje trok zich er niets van aan. Het verdween in een bocht.

De kinderen keken door de grote ruit van de bistro en zagen lege tafeltjes. Er hadden zich nog geen andere proefpersonen gemeld.

Ze liepen het restaurant binnen. Achter de klapdeur hoorden ze Cock luidkeels zingen. Zijn liedje ging over snijden, hakken, braden en bakken.

Cock stond achter een stalen aanrecht en hakte al zingend in iets. Bella kreeg tranen in haar ogen. Ze wist ook niet waarom.

'Wat maakt u?' vroeg ze.

'Ik maak niks, ik snipper een ui.' Cock legde zijn mes weg.

Hij veegde de gesnipperde ui in een bak. 'Wat kwamen jullie ook alweer doen?'

'Nou,' zei Step, 'wij dachten…'

De anderen keken haar ademloos aan. Step dácht!

Ze zouden nooit te horen krijgen wat, want ergens in de keuken rinkelde een telefoon. Cock verdween om hem op te nemen. Ze hoorden hem bulderen, maar verstonden hem niet.

'Wat wou je nou zeggen?' vroeg Bella.

'Ik weet het niet meer,' zei Step.

Toen Cock terugkwam, knoopte hij zijn schort los. 'Ik ga een bestelling vlees ophalen. Lekker buiten spelen, jullie.'

'Vlees voor hamburgers?' vroeg Camiel.

'Dat is toch gehakt?' zei Dikkie. 'Hamburgers zijn toch gehakt? Is gehakt vléés, meen je dat?'

'Mogen we niet mee?' vroeg Bella.

'Méé? Méé? Waarom zouden jullie mee willen?'

'Nou, om te zien waar de hamburgers vandaan komen.'

'Omdat we geen verstand van vlees hebben? U kunt ons vast een hoop leren.'

'En u ging hamburgers voor ons maken,' zei Step.

Cock ging met zijn vingers langs zijn kinnen. Met zijn priemoogjes keek hij hen aan.

'Ach, dat is waar, ik had jullie hamburgers beloofd!' zei hij. 'Ik zit, geloof ik, toch aan jullie vast, want de proefpersonen die ik zoek zijn niet te vinden in Halmare. Er komt behalve jullie niemand op mijn kaartje af. Waar is jullie vriendje met die rare naam?'

'Hij mocht niet mee van zijn moeder.'

Cock keek hen weer doordringend aan. Hij verhief zijn stem. 'Hamburgers... jullie willen mee hamburgers kijken. Maar ik waarschuw je, jullie krijgen dingen te zien die je nog nóóit gezien hebt!'

'Ja, heel veel hamburgers. Hele kuddes!' zei Step, die begon te stralen. 'Ik geloof nu al dat uw hamburgers de lekkerste van de hele wereld zijn.'

'Dat is zo moeilijk niet. Jullie hebben nog nooit van je leven een echte hamburger geproefd!'

'Welles,' zeiden de vier vrienden tegelijk. 'Heel vaak zelfs.'

'Welnee! Ja, zo'n doormidden gesneden spons met een lapje fabrieksvlees erin! Maar dát is geen hamburger!'

Cock trok een zwarte jas aan die veel te warm leek voor de tijd van het jaar. Van zijn voorhoofd begon zweet te druppelen.

'Kom mee,' zei hij. 'Maar één ding: geen gekeet in de auto.'

Cocks auto vonden ze na lang zoeken in een enorme ondergrondse parkeergarage. Hij stond er in zijn eentje: een zwart bestelbusje met alleen voorin ramen.

De kinderen werden achterin geschoven. In volle vaart reden ze de parkeergarage uit. Cock botste nog bijna op de auto van een graatmagere mevrouw in zuurstokroze en vanillevlageel. Gelukkig zagen de kinderen dat niet.

'Op weg naar de echte hamburgers!' zei Cock vrolijk toen ze de snelweg buiten de stad op reden. 'Op naar de boerderij!'

Step smakte op de punt van haar paardenstaart. In gedachten zag Bella de hamburgers al vrolijk door de wei hollen. Maar als het nou regent, dacht ze, dan worden de broodjes toch helemaal kleverig en slap? Omdat ze geen domme vragen wilde stellen, hield ze haar mond. Wie weet mochten hamburgers helemaal niet buiten. Want dan kwamen er grassprietjes op en zand... Of ze holden misschien wel door de poep. Moest je in de winkel eerst heel goed kijken of je wel een schone hamburger had. Ze rilde ervan.

Step durfde wel iets doms te vragen. 'En cheeseburgers? Hebben die op de boerderij al een plak kaas?'

Cock schoot vreselijk in de lach. 'Wacht maar,' zei hij. 'We zijn er bijna.'

Hij nam een afslag en nog eentje en daarna reden ze op een heel smalle weg. De kinderen zagen door de voorruit alleen maar gras met hier en daar een boom. Ze keken hun ogen uit. Bomen! Zomaar in het wild!

'Nou, let op,' zei Cock. 'We zijn er.'

Hij stopte bij een modern gebouw dat helemaal alleen in het grasland stond. Ze stapten uit en liepen erheen. Er hing een vreemde lucht.

Step snoof. 'Getver,' zei ze. 'Net of je bij een pakhuis met oude kleren komt.'

'Waar ze de verwarming heel hoog hebben staan,' zei Dikkie.

Bella schudde haar hoofd. 'Ik ruik iets anders,' zei ze. 'Poep en pies…'

'Ik hoor wat,' zei Camiel. 'Wat hoor ik nou, joh?'

Ze stonden nu voor het gebouw. Cock morrelde aan de klink van een enorme deur. Het duurde even voordat hij hem open had, toen schoof hij de deur ratelend opzij.

De lucht van poep en pies en warme oude kleren rolde over hen heen.

Er was een geschuifel van voeten en een lui 'Mahwoe!' kwam van alle kanten.

'Bejaarde voetbalsupporters?' vroeg Step.

'Koeien,' zei Cock.

'Koeien!' herhaalden de vrienden in koor.

'Wat moeten we nou met koeien?' zei Step lichtelijk beledigd. 'Bella had toch om een hamburgerboerderij gevraagd?'

De vrienden wierpen een blik naar binnen. Het stond er inderdaad stampvol koeien.

'Daar staan jullie hamburgers,' zei Cock.

'Ja, hoor, alsof je zo'n beest tussen een broodje krijgt,' sneerde Step.

'Wat dachten jullie dan?' bulderde Cock. 'Dat hamburgers met broodjes en al door een weiland hollen? Dat ze met plakken kaas en al 's avonds op stal gaan?'

'Nou ja…' zei Step. Zoiets hadden de vier vrienden inderdaad gedacht. Of gehoopt, in elk geval.

Cock liep de stal in en sloeg een koe op haar bil. 'Dit is hamburger!' zei hij.

'Hè, getver,' zei Dikkie. 'Allemaal haren…'

'Ik had jullie gewaarschuwd,' zei Cock. 'Nou weten jullie het dus, maar het wordt nog veel erger. Kom, we gaan naar de slachterij.'

Camiel slikte. 'De wát?'

Cock liep naar een deur aan het eind van het gebouw. Hij schoof hem open.

'Goeiedag Freek!' zei hij.

De kinderen waren hem schoorvoetend gevolgd.

Freek was een roze man die een witte jas droeg en een wit hoedje van plastic. Hij had een lang dun mes in zijn hand.

'Ha die Cock! Kom binnen. Ik ben net voor je bezig.'

De kinderen keken door de kier van de schuifdeur.

Cock had gelijk. Wat ze zagen, was erger dan ze zich ooit hadden kunnen voorstellen.

Hamburgers temmen

Op de terugweg naar Halmare zaten ze stilletjes bij elkaar. Cock zong luidkeels een afschuwelijk lied.

Koop een koe, een stukje toe.
Een stukje van de longen voor de zieke jongen.
Een stukje van de pens voor 't zieke mens.

Lóngen... ze rilden. Wat pens was wisten ze niet en daar waren ze blij om. Cock parkeerde zijn auto in de verlaten garage. Hij pakte een plastic zak van de stoel naast zich. De kinderen wisten wat erin zat. Vreselijk. Zwijgend liepen ze achter hem aan naar de bistro. Ze dachten er niet eens over om ervandoor te gaan. Zó waren ze onder de indruk van wat ze hadden gezien.

In de keuken schudde Cock de zak leeg op het glimmende stalen aanrecht. Er kwam een roodbruine lap uit.

Vlees. Dit was vlees. De kinderen wisten het en wilden dat ze het níét wisten. Ze hadden gezien hoe Freek het vlees van een koeienbil had gesneden. De bil en de achterpoot hingen aan een haak aan het plafond en...

Step schudde haar hoofd. Haar paardenstaart zwiepte wild mee. Net de staart van een koe in de stal. Nee! Niet aan denken!

Cock pakte een hakbijltje en begon op het vlees te meppen.

'Honderd procent puur rundvlees,' gromde hij. 'Het beste van de bil.' Hij hakte het vlees in blokken.

Uit een kast kwam een apparaat met een trechter en een soort zwengel waar je aan kon draaien.

'En dan gaan we nu gehakt malen...'

Bella deed haar ogen dicht. Ze begreep opeens wat het betekende als iemand zei: 'Ik maak gehakt van je.' Ze leerde van Cock meer dan ze wilde.

'Ik geloof dat ik geen hamburger hoef,' mompelde Dikkie.

Ik ook niet, dacht Camiel, maar we moeten straks wel proeven, al is het alleen maar voor Sjef. 'Krijgen we een hamburger mee voor Sjef?' vroeg hij.

'Mee?' Cock propte handenvol vleesblokken in de trechter. 'Wat denk je dat het hier is? Een afhaaltent? Wie eten van Cock wil, komt maar naar me toe!'

De kinderen keken elkaar aan. Hoe kregen ze Sjef zijn huis uit?

'Duurt het lang voordat uw hamburgers klaar zijn?' vroeg Bella.

'Ik ben nog wel even bezig,' zei Cock. 'Gaan jullie dat vriendje maar halen.'

De kinderen knikten en schuifelden de keuken uit.

Ze liepen naar Sjefs huis.

Bella dacht aan de boerderij waar ze waren geweest.

We moeten dat niet aan Sjef vertellen, dacht ze. Die kan nú al nergens tegen. Als hij hoort dat hamburgers van koeien komen...

'Zijn jullie daar nou alwéér?' knetterde de stem van Sjefs moeder toen ze hadden aangebeld. 'Ik wacht op de leverancier.'

'De wat?' vroeg Camiel beleefd.

'Gaat je niet aan. Nou, vooruit. Kom maar eventjes boven dan!'

Sjef zat in bed. Hij had een paar kussens achter zijn rug.

Hij luisterde aandachtig naar hun verhaal. Je kon zien dat hij een beetje jaloers was. Op reis met een auto... dat zou hij ook wel gewild hebben.

'En toen?' vroeg hij. 'Kregen jullie een gratis hamburger op de boerderij? Vers van het land?'

Dikkie schudde zijn hoofd. Hij opende zijn mond.

Hij gaat de waarheid vertellen, dacht Bella. Daar hebben we niks aan. 'We moesten ze zelf vangen,' zei ze daarom haastig.

Dikkie keek haar verbaasd aan. Te verbaasd om haar tegen te spreken.

'Dikkie mocht als eerste,' zei Bella. 'We, eh... we moesten in zo'n soort...' Ze keek naar Camiel. Gelukkig snapte die het.

'Dikkie mocht een hamburger temmen,' zei Camiel. 'Dat was spannend, man. Die hamburger was hartstikke wild.'

Dikkie begreep het nu ook. 'Ja,' zei hij. 'Het was wild vlees, zei de hamburgerboer.'

'Hoe wild?' vroeg Sjef, die een blosje op zijn wangen kreeg. 'Heb je hem getemd?'

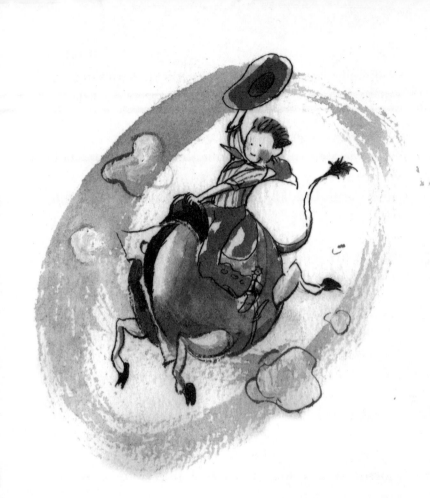

'Het was een cheeseburger,' zei Bella. 'Nou, dan weet je het wel.'

'Zó'n grote.' Dikkie hield zijn handen hoog boven zijn hoofd.

'Was-ie gevaarlijk?'

'Hartstikke,' zeiden de vrienden tegelijkertijd.

Sjefs ogen straalden. 'Ik had er best bij willen zijn.

Goh… Maar gelukkig lust ik geen hamburgers.'

'Hè?' zei Camiel. 'Sinds wanneer niet?'

'Sinds het niet van mijn moeder mag. Er zit vlees in hamburgers en dat is ongezond, vlees.'

'O?' zei Step sabbelend.

'Ja, want je weet maar nooit wat ze erin stoppen, zegt mijn moeder. Daarom lust ik het niet, zegt ze, want ik kan allergisch zijn voor vlees. Vlees heeft trouwens ook kleur, weet je wel?'

De kinderen keken elkaar stomverbaasd aan.

'Maar wat eet je dán?'

Sjef glimlachte vermoeid. 'Mijn moeder is nog aan het uitzoeken wat goed voor me is. Straks komt er iemand met dingen die ik moet gaan proeven. Maar ik weet stiekem al wat ik wil eten. Ik heb iets gevonden en…'

Aha, dacht Bella. Dat was dus die leverancier. Maar als Sjef niet meer van hamburgers hield, hoe kregen ze hem dan mee naar Cocks Bistro?

'Wat wil je dan in plaats van…' Ze maakte haar zin niet af. De bel ging en ze hoorden de voordeur opengaan.

Sjefs moeder kwam de kamer in. De kleuren spatten van haar af, het deed pijn aan hun ogen.

'Nu weer weg, jullie.' Ze wees met een strenge vinger. 'De leverancier is er, schat. Je weet wel, de pillenman.'

Sjef knikte slapjes.

'We gaan helemaal precies uitzoeken waar jij wél tegen kunt. Hij heeft allerlei voedselpillen en vitamines bij zich.'

Bella dacht aan wat Cock over waspeen had gezegd: goede vitamines.

'Waspeen,' zei ze.

Sjefs moeder keek haar aan alsof ze geslagen werd.

'Waar bemoei jij je mee, akelige wijsneus? Waspeen komt uit de grond! Daar heeft aarde aangezeten. Overal bacteriën en onzichtbaar vuil! Goede vitamines en goede voedingsstoffen zitten in pillen die vuilvrij verpakt zijn! Niet in enge dingen die in de natuur groeien. Het is maar goed dat ik Sjef binnen hou. Als hij met jullie is, zou hij zelfs vléés kunnen eten!'

De kinderen vluchtten de kamer uit. In de gang liepen ze bijna een man met een hele stapel doosjes omver.

'We krijgen Sjef nóóit mee,' zei Camiel toen ze buiten stonden.

Step stak haar paardenstaart in haar mond. 'Die stomme moeder van hem,' zei ze sabbelend. 'Geen hamburgers lusten…'

Dikkie keek omhoog naar Sjefs raam. 'Nou, dat begrijp ik nu wel…'

'Je moet niet zeuren,' zei Step. 'Ik weet zeker dat Cocks hamburgers smaken als een kermis.'

'Zelfs nu je het weet van die arme koeien?'

'Hmm,' zei Step. Lang hoefde ze niet na te denken. Nooit eigenlijk. 'We eten geen koe, we eten hamburger.'

'Maar er zit wel koeienbil in,' zei Dikkie. Hij rilde.

'Cock maakt die hamburgers klaar,' zei Step. 'Een hamburger lijkt niet op koeienkont. Gewoon eten en niet over nadenken.' En daar wist de rest niks op te zeggen. Als die hamburgers maar half zo lekker waren als de karamelletjes… Het water liep hun in de mond.

Ze slenterden naar het grote plein. Er kwam net een groep toeristen uit een bus.

De kinderen keken even toe. Ze glimlachten terwijl ze op de foto werden gezet. Ze mompelden een bedankje voor de muntjes die ze kregen.

Toen de toeristen weg waren, telden ze het geld. Het was genoeg om voor iedereen een hamburger te kopen. Maar dat hoefde niet. Ze krégen straks een hamburger… als ze hem durfden op te eten. Tot nu toe was Step de enige die er vertrouwen in had.

Dikkie had de diepste broekzakken. Hij mocht altijd het geld bewaren.

Camiel keek naar de hamburgerwinkel naast de supermarkt. 'Toch eens vragen,' zei hij.

'Wat?' vroeg Step.

'Of de hamburgers dáár ook van koeienbil zijn. En of dat gezond is.'

Ze liepen naar binnen. De hamburgerzaak was verlaten.

Achter de toonbank stond een mevrouw haar nagels te vijlen. Ze borg de vijl snel weg toen ze de vrienden zag. Haar mond ging in de hartelijke-glimlachstand.

'Zeg het maar,' zei ze gul.

'Nou,' begon Camiel, 'een hamburger…'

'Iets te drinken erbij?' vroeg de vrouw.

'Nee, ik wou vragen…'

De dame tikte wat op de kassa. 'Dat is dan…'

'Nee-hee!' zei Step. 'Wij willen weten of hamburgers

gezond zijn. En of ze van koeienkont komen.'

De mondhoeken van de vrouw zakten omlaag. 'Ja, hoe weet ík dat nou!' zei ze. 'Denk je dat ik hier de baas ben? Dat ik die hamburgers zelf maak?'

De vrienden keken elkaar aan. Ze hadden er nooit over nagedacht wie de baas van de hamburgerzaak was, of wie de hamburgers maakte. Het waren goede vragen die de mevrouw stelde.

'Is er dan geen kok?' vroeg Dikkie.

'Weet ik het?' zei de vrouw. Ze had haar vijl alweer beet. 'Ze worden kant-en-klaar gebracht. Het vlees zal wel uit een vleesfabriek komen. En het brood uit een broodfabriek.'

Er stopte een bus verse toeristen voor de hamburgerzaak.

'Gauw naar buiten,' zei Dikkie. 'Centjes verdienen.'

. De mevrouw achter de toonbank hees haar mondhoeken weer op.

Toen de toeristen de bus uit kwamen, stonden de vier vrienden al op de stoep. Camera's klikten en geld rinkelde.

'Hamburgers uit de fabriek,' zei Dikkie. 'Vind ik toch lekkerder klinken.'

'Al maakt Cock ze van dooie schoenen, dan kan het me nog niet schelen,' zei Step. 'Ik weet zeker dat zijn hamburgers geweldig zijn.'

Haar vrienden fronsten twijfelend. Ze twijfelden nog steeds toen ze Cocks Bistro binnen kwamen. De schaal met hamburgers veranderde daar niets aan. Bella dacht dat ze in de verte geloei hoorde en Dikkie vroeg zich af of die koe er nog iets van voelde als je je tanden in haar gemalen vlees zette.

Camiel keek naar de blaadjes sla die tussen de broodjes uit loerden. Hij vertrouwde ze niet.

Step was de enige die haar hand uitstrekte. 'Het ziet eruit als een hamburger,' zei ze. 'Het ruikt als een hamburger. Wedden dat het ook zo smaakt? Ik denk…' Ze maakte haar zin niet af, want ze nam een hap.

Haar vrienden zagen haar gezicht veranderen in een feesttent met duizenden vlaggetjes.

Een fabriekshamburger had je in een paar happen op. Je hoefde niet eens te kauwen. Step kauwde wél en bij elke beweging van haar kaken ging er meer feestverlichting bij haar branden.

De drie vrienden zagen het en hun twijfel verdween. Ze graaiden een hamburger van de schaal. Wáár het vlees ook vandaan kwam, dit moesten ze proeven. Ze wilden net zo feestelijk worden als Step.

Een halfuurtje later zaten ze in Cocks Bistro met een buik als een pretpark. Ze zeiden niets. Ze keken naar hun lege bordjes.

Er lag geen kruimeltje meer op. Zelfs de blaadjes hadden ze opgegeten.

Sla! Rauwe groente, die Dikkie zelfs niet zou lusten als hij onder stroom werd gezet. Nu had hij het blaadje verslonden omdat het tegen de hamburger aan had gelegen en er dus vast een beetje naar smaakte.

Het pretpark in hun buik rinkelde en tinkelde, zoemde en zoefde. Er schoot van alles juichend omhoog en zingend omlaag.

Step droomde met open ogen van geuren als zweefmolens en smaken als wildwaterbanen.

Tot haar grote vreugde kwam er een boertje omhoog. Haar mond vulde zich weer met de smaak van hamburger. In het pretpark ging vuurwerk af.

Camiel en Bella kwamen als eersten weer een beetje terug op aarde.

Ze keken elkaar aan en wisten dat ze allebei hetzelfde dachten: Sjef! Sjef móést uit zijn bed gelokt worden. Hij móést hier in Cocks Bistro iets eten. Al was het een boterham met pindakaas. Cocks boterhammen met pindakaas waren vast lekkerder dan slagroomtaart.

'Hij begon wel te glimmen,' zei Camiel, 'toen hij ons verhaal over de hamburgerboerderij hoorde. Zijn ogen straalden.'

Bella knikte. 'Jammer dat hij niet van hamburgers houdt. Maar er is vast iets wat hij wél lust.'

'Moet wel,' zei Camiel. 'We gaan het gewoon proberen. We lokken hem met spannende verhalen zijn bed uit. En als dat gelukt is...'

'...krijgt Cock hem weer aan het eten en dan wordt hij beter.'

Ze keken elkaar vastberaden aan.

Dikkie liet een knallende boer.

'Zonde!' zei Step een beetje jaloers. 'Nou laat je alle smaak wegwaaien.'

De rolmopsvijver

Bella was al vroeg op straat. Ze was in een heel goede bui. Bij het opstaan was het eerste wat ze dacht: Cocks hamburgers. Toen kon de dag al niet meer stuk.

Meestal ging Bella 's ochtends naar het plein om te zien of daar iemand was. Vandaag deed ze het anders. Ze ging op zoek naar Cocks Bistro.

Het restaurant vond ze niet, wel Camiel die verdwaasd rondjes liep op een pleintje.

'Ik was er bijna!' zei Camiel toen hij Bella zag. 'Bíjna. En nou weet ik niet meer welke verkeerde straat ik genomen heb!'

'Ben jij ook op weg naar Cock?' vroeg Bella voorzichtig.

Camiel knikte. Hij zakte neer tegen de bak van een fontein die niet werkte. Bella ging zitten op een bankje zonder zitting.

'Waarom?' vroeg Bella.

'Om Sjef,' zei Camiel. 'En jij?'

'Ook. Maar ook omdat ik iets niet snap.'

Ergens ver weg klonk een boze stem. Iemand was vroeg op deze warme dag al aan het tieren en schreeuwen.

'Er is iets geks met die Cock,' zei Bella. 'Hij is helemaal

niet zo aardig, maar we krijgen wel gratis hamburgers.'

Camiel knikte. 'Dat vond ik ook al gek. En er stond toch "kinderen geen bezwaar" op dat briefje?'

'Ja,' zei Bella. 'Maar dat was niet zo bedoeld. Hij vindt ons wél een bezwaar.' Ze schudde haar hoofd. 'Er klopt iets niet,' zei ze. 'Ik wilde het gaan vragen.'

'Vergeet het maar,' zei Camiel. 'Grote mensen geven nooit antwoord op vragen als iets niet klopt.'

Ze waren even stil en luisterden naar de tierende stem die dichterbij kwam.

Cock verscheen uit een straat. Hij had zijn dikke jas aan en droeg een boodschappentas. Wat hij riep was onverstaanbaar, maar de kinderen begrepen dat hij schold op Halmare. Hij leek weer alle kanten op te gaan. De ene keer stond hij vlak bij Camiel, dan weer was hij het plein overgestoken en een tel later stond hij achter Bella. Hoe kreeg hij het voor elkaar?

'Zelfs een postduif verdwaalt hier!' riep Cock met zijn handen in de lucht. 'Je kunt hier helemaal niks vinden. Ja, jullie.' Hij zakte neer op het andere eind van de bank zonder zitting. Maar Bella en Camiel hadden het gevoel dat hij nog steeds overal op het plein was.

'We zochten u,' zei Camiel.

'Goed gevonden dan,' antwoordde Cock. 'Nu blij? Ik ben op zoek naar de markt. Verse groente inkopen en verse vis. Geen markt te vinden.'

Slecht gevonden dan, dacht Camiel, maar dat zei hij niet. Hij zei: 'Die is hier ook helemaal niet. Toch, Bella?'

Bella schudde haar hoofd. Ze had in Halmare nog nooit een markt gezien. Ze wist niet of dit het goede moment was. Toch stelde ze haar vraag: 'Wie zocht u nou eigenlijk als proefpersonen? In plaats van ons, bedoel ik.'

Cock kneep zijn ogen samen. Ze verdwenen in zijn enorme gezicht. Er bleven alleen wenkbrauwen over.

'Hoe weet jij dat ik iemand zocht?'

'Weet ik niet,' zei Bella.

'Jullie kennen toch wel andere kinderen?' zei Cock. 'Lekker dikke kinderen bijvoorbeeld?'

'Step,' zeiden Camiel en Bella tegelijk.

'Ja, maar dan echt dik. Met een fijne bolle kop.'

Zoals jij, dacht Camiel, maar hij durfde dat niet te zeggen.

Bella schudde maar weer eens haar hoofd. Zulke kinderen kende ze niet. Vroeger wel, toen Sjef nog dik was, maar nu niet meer.

Cock snoof. 'Kinderen…' zei hij. 'Kinderen kennen kinderen.'

Bella keek hem aan. Het was nu al de zoveelste keer dat Cock dit zei. Wat bedoelde hij ermee?

'Enne, moeders? Kennen jullie gezellig bolle moeders?'

Camiel en Bella knikten tegelijkertijd. Nou en of ze moeders kenden. Die van Sjef, om er een te noemen. Maar die was niet bol of gezellig. En als íemand niet geschikt was als proefpersoon…

Cock stond op. 'Ik ga proberen mijn bistro te vinden. Boodschappen doe ik wel buiten de stad.'

'We hebben hier supermarkten, hoor,' zei Camiel behulpzaam.

'Vertel mij wat! Voorgesneden, voorverpakte, voorgekookte groente! Voorgebakken aardappelen. Voorgekauwd vlees. Gétverdémme! Ik wil vers en écht! Maar dat vind je hier in de stad niet.' Met wiekende armen liep hij het pleintje af.

Bella sprong op en ging hem achterna. Camiel volgde haar. 'Cock! We willen nog iets vragen.'

Met de tas slingerend aan zijn arm bleef Cock staan. 'Help eerst maar mee de weg zoeken.'

Er reed een klein autootje met piepende banden weg voor Cocks Bistro. Het miste op een haar na een vuilcontainer die tegen de stoeprand stond. Camiel en Bella keken het autootje na terwijl Cock de deur opendeed.

Cock haalde een enorme glazen kan met kleurloze limonade uit de keuken. Hij schonk voor hen alledrie een glas in.

'Lekker,' zei Camiel na de eerste slok. 'Welke smaak is dit?'

Cock zuchtte. 'Water.' Hij keek Bella streng aan. 'Wat wilde je nou van me?'

Bella legde het uit van Sjef en zijn moeder. Ze vertelde over de man met de dozen. Dat daar waarschijnlijk pillen in zaten. Vitamines zonder zand, aarde of onzichtbaar vuil, eten zonder smaak.

Hoe langer ze vertelde, hoe harder Cock begon te snuiven.

'Pillen!' riep hij. 'Dáár krijg je die allergieën van. Dingen eten die niks meer met eten te maken hebben! Alles smaakt maar hetzelfde. Overal wordt mee gerotzooid. Is vlees wel vlees? Is kip wel kip of hebben ze er stiekem een ei in verstopt? Zit er wel in wat erin zit?'

'Dat vraagt Sjefs moeder zich ook steeds af,' zei Camiel. 'Daarom krijgt Sjef pillen.'

Cock sprong op. 'Belachelijk!' Hij kletste zijn enorme handen tegen elkaar. 'Dat is precies de verkeerde kant op. Je moet geen pillen willen, maar echt vlees en echte groente en fruit. Dát heeft een kind nodig.'

'Wat krijgen we vandaag te proeven?' vroeg Bella.

'Waarom denk jij dat je vandaag iets krijgt? Weet je wat al dat krijgen kost?' vroeg Cock.

'Maar wij kennen kinderen,' zei Bella slim.

'Nou, dat vraag ik me af!' zei Cock. 'Ik merk er weinig van.' Hij sloeg zijn glas achterover. 'Maar goed, goed… wat denken jullie van vis? Zou ook wat voor dat zieke vriendje zijn. De gezonde apotheek.'

'Verse vissticks? Lekker,' zei Camiel.

Cock werd zó rood dat hij een verkeersbord leek. 'Vissticks! Een geperst stukje bagger met beschuitkruimels eromheen… En dan zeker nog graatloos ook?'

Camiel wilde knikken, maar hij hield zich in. Het was duidelijk dat hij iets verkeerds had gezegd. Hij wilde het niet nog erger maken.

'Vissticks!' Cock spuugde het woord uit in een regen van druppeltjes.

'Ga! Ga! Vanmiddag kom je maar terug. Ik zal jullie leren!'

'Graag, alstublieft,' zei Bella.

'Nog nooit van hun leven een vis gezien! Wedden?' Mopperend verdween Cock naar binnen.

'Ik heb wél eens een vis gezien,' zei Dikkie. Camiel en Bella waren naar het plein gelopen. Dikkie en Step stonden er geld te verdienen aan de toeristen.

'Ik ook,' zei Step. 'Kibbelingen. Dat zijn heel rare visjes. Een soort kroketbrokken.'

'En rolmops!' zei Dikkie. 'Én lekkerbekjes. Maar rolmops is het raarst. Daar zit een augurk in. Gek, hé, dat vissen augurk lusten.'

Camiel fronste. 'Weet je wat ik me nu pas bedenk? Vissen hebben geen ogen.'

'Kibbeling met ogen, jakkie,' zei Step.

'Of een visstick met tandjes... brr,' griezelde Dikkie.

Bella begon te stralen. 'Ik weet er een.'

'Een vis met ogen?' vroeg Step.

'Nee, een verhaal om Sjef zijn bed uit te krijgen. Kom op, ik vertel het op weg naar zijn huis wel.'

Sjefs moeder deed de deur op een kiertje open. 'Het is erg met Sjef,' zei ze. 'Jullie kunnen niet lang blijven. Ik moet bovendien straks naar fitness. Ik heb iets verkeerds gegeten. Dat moet ik er nodig af sporten.'

'Hebben de vitaminepillen niet geholpen?' vroeg Camiel.

'Ik slik me suf,' zei Sjefs moeder, 'maar ik merk er nog weinig van.'

'Camiel bedoelt bij Sjef,' legde Bella uit.

'Komen jullie nog?' riep Sjef zwakjes uit de kamer.

De kinderen glipten langs Sjefs moeder heen en gingen de schemerige kamer in.

'Wat ruik ik?' zei Sjefs moeder bezorgd snuivend. Ze kreeg geen antwoord.

Sjef lag in zijn bed. Hij keek naar een zwart-witfilm op tv.

'Gelukkig ben je nog niet allergisch voor tv,' zei Dikkie.

'Ik kan alleen heel oude films zonder kleur bekijken,' zei Sjef treurig.

Op een tafeltje naast zijn bed stond een bordje. Er lagen zilveren stripjes met bobbeltjes op.

'Wat zijn dat?' vroeg Camiel.

'Voedselpillen,' zei Sjef. 'Hygiënisch verpakt in plastic. Smaakloos en reukloos.'

'We zijn een vis voor je wezen vangen,' zei Step, die niet kon wachten.

'O,' zei Sjef futloos. 'Ik kan niet tegen vissen. Die zwemmen steeds maar rondjes in zo'n vierkante glazen bak op de vensterbank. Meestal hebben ze nog kleur ook.'

'Bruin,' zei Dikkie, die dacht aan kibbeling.

'Nee, oranje,' zei Sjef. 'En ik ben allergisch voor oranje.'

Dikkie en Step keken elkaar verbaasd aan. Ze wisten niet dat Sjef zo veel verstand van vissen had.

'Oranje vissticks?' fluisterde Step. Dikkie haalde zijn schouders op.

Camiel en Bella waren bij Sjef gaan zitten. Ze begonnen te vertellen.

'We zijn naar een viskwekerij geweest,' zei Camiel. 'We gingen een vis voor je vangen.'

'O,' zei Sjef.

'Eng, jongen!' zei Bella.

'Ja,' zei Step heftig. 'Ik mocht als eerste, toch?'

De anderen knikten. 'En ik mocht, eh…' Ze smakte luidkeels op haar paardenstaart. Ze wist het niet meer.

'Step mocht vissticks vangen,' zei Bella.

'Gelukkig niet de volwassen vissticks, want die zijn gróót, jongen!' Camiel spreidde zijn armen. 'Zó groot en met zúlke vlijmscherpe tanden.' Hij wees een maat aan met zijn wijsvingers. 'En de graten steken alle kanten uit.'

'Ja,' zei Step. 'Ik weet het weer. Als je in de buurt komt, springen ze wel een meter uit het water en dan happen ze naar je.'

'De jonkies niet,' zei Dikkie. 'Die mocht Step met een schepnetje uit het water halen. Die hebben nog geen tanden en graten.'

'En hoe groot zijn die jonkies dan?' vroeg Sjef, die een beetje leek op te knappen. Je kon zien dat hij het spannend vond.

'Zo groot als, eh… een visstick,' zei Dikkie.

'En toen zijn Camiel en ik rolmopsen gaan vangen in de rolmopsvijver,' zei Bella. 'Dat doe je gewoon met een hengel.'

'Maar het was wél spannend, hoor!' zei Camiel. 'Rolmopsen zijn heel rare beesten. Weet je hoe je die vangt?'

Sjef schudde zijn hoofd.

'Nou,' zei Camiel, 'je neemt een stuk augurk. Dat doe je aan de haak van de hengel.'

'Want dat lusten ze graag,' legde Bella uit.

'De rolmopsen zwemmen in een vijver,' zei Camiel.'Je houdt de haak onder water...'

'...en dan moet je goed roeren,' vulde Bella aan, '...dan komt er een rolmops aan zwemmen... En die slingert zich zó om de augurk heen. Want zo eten rolmopsen: ze proberen de augurk te wurgen en plat te drukken.'

'En dat is heel knap, want rolmopsen hebben geen ogen,' zei Step. 'Geen enkele vis heeft ogen. Rolmopsen zijn een soort dunne grijze lapjesvissen.'

'Dus moet je gauw je hengel ophalen,' zei Camiel. 'Voordat de augurk platgedrukt is. Dan laat je de rolmops in een pot met azijn zakken en dan, eh…'

'Gaat ie dood?' vroeg Sjef.

'Eh, ja…' zei Camiel. 'Dat is eigenlijk wel zielig…'

'Nee hoor,' zei Sjef. 'Helemaal niet. Hé, zal ik jullie iets laten zien? Iets stiekems? En iets wat ik gemaakt heb van de vuilniszakken?'

Hij kreeg de kans niet. Zijn moeder kwam binnen. Met priemogen bekeek ze de kinderen. Haar steekneus snifte.

'Wat is hier aan de hand? Je hebt een blos, Sjef! Het wordt steeds erger met je. Rode wangen, terwijl je allergisch bent voor kleur!'

Ze kwam de kamer in en trok haar neus op. 'Er hangt een gebakken luchtje om jullie heen,' zei ze. 'Hebben jullie vlees gegeten?'

Zonder erbij na te denken, knikte Step.

'Naar buiten! Nú!' Sjefs moeder krijste bijna. 'Vlees! Dat komt van beesten. Beesten hebben poten en enge tanden en kwijltongen. Beesten eet je niet, die jaag je weg. Jullie zijn engerds. En bovendien is Sjef allergisch voor beesten!'

De kinderen stoven de kamer uit.

Terwijl ze de trap af denderden, konden ze de stem van Sjefs moeder nog horen.

'Vissen zijn óók beesten!' krijste ze. 'Al hebben ze geen poten. Nee, jij houdt níét van vissen. Vissen wonen in water! Ze poepen en piesen erin en zwemmen daarna vrolijk verder. Smeerlappen zijn het, vissen. En de mensen die vissen eten, zijn ook smeerlappen. Net als mensen die dieren eten, of groente. Eerst staan vieze beesten als koeien en varkens een beetje op de grond te poepen en te piesen. En in die grond groeit allemaal groente. Waar denk je dat die vol mee zit? Precies! Doodeng! Je mag nooit, nooit iets vertrouwen wat vers uit de natuur komt.'

Gelukkig stonden de vier vrienden toen buiten. Als ze nog langer hadden moeten luisteren, waren ze misschien zelfs allergisch geworden voor Cocks eten.

Ze hadden niet eens de kans gekregen Sjef te vragen of hij naar buiten kwam...

De satéboomgaard

'Pap,' zuchtte Camiel. Al tien minuten had hij geprobeerd pap te zeggen. Dat lukte nu pas.

Ze zaten onderuitgezakt aan het tafeltje in Cocks Bistro. Op hun bordjes lag de staart van een vis. Meer was er niet over van wat ze gegeten hadden.

De staart van een vis? Terwijl er in Bella's buik een koor prachtige liedjes zong, keek ze naar haar bord. Vissen hadden een staart. Het was bijna eng. Dat vissen wél ogen hadden, wisten ze intussen ook. Ze hadden vissenkoppen gezien. Echte koppen, met ogen en een bek. Cock had ze met één klap afgehakt. Daarna was er nog een hoop gedoe geweest. Gespetter van boter, gestrooi met peper en zout. Gesnij van groene dingen die Cock kruiden noemde. Het begon steeds lekkerder te ruiken in de grote keuken.

Het was te warm om buiten te eten. Het was ook te warm om binnen te eten. Maar eten wilden ze. Al hadden de vissen een kop en een staart gehad. Al hadden er ogen in die kop gezeten. Ze aten dus binnen.

'Ik snapte al niet hoe een visstick kon zwemmen,' zei Camiel. 'Ik bedoel, zonder armen en benen en zonder een mond om adem te halen.'

De anderen knikten lui. Het leek wel alsof de vis door

hun hele lijf zwom en overal kleurtjes maakte.

Kleurtjes, welnee, hele schilderijen, dacht Bella. Ze had het idee dat ze vanbinnen haast van goud was.

Cock kwam de keuken uit. Hij veegde de lege borden met een groot gebaar op een dienblad.

'Die witte plakjes met zo'n bruin randje eromheen,' zei Dikkie, 'wat waren dat nou?'

'Ja,' zei Step. 'Het leek een beetje op taart.'

'Sneetjes brood,' zei Cock. 'Zelfgebakken brood.'

De vrienden keken hem stomverbaasd aan. Van het brood thuis kon je stuiterballen maken. Je kon er draden van trekken.

'Brood…' zei Dikkie. 'Zelfgebakken? U maakt zeker een grapje.'

'Dan nu even serieus,' zei Cock. 'Ik ben hier niet om een stelletje krieltjes als jullie gratis eten te geven. Het is afgelopen, mooi geweest.'

Hij bewoog zijn armen alsof hij een windmolen was. Zijn voeten en benen deden een dansje waar de rest van zijn lijf niet bij leek te horen. Het was heel vreemd, iemand die alle kanten op ging terwijl hij stilstond.

'Ik doek de bistro op. Ik ga ergens anders verder zoeken. In Halmare eten ze alleen maar supermarkteten, volgens mij. Snelle happen uit de magnetron. Koerierpizza's en afhaalchinees. Er is hier helemaal níémand die van echt eten houdt.'

'Wij wel,' zei Step zwakjes. Maar zelfs zij begreep dat Cock dat niet bedoelde.

'Kennen jullie eigenlijk wel kinderen?' vroeg Cock,

terwijl hij het dienblad op een andere tafel liet vallen. 'Zíjn hier wel andere kinderen dan jullie?'

'Nou…' zei Camiel, 'we kennen onze hele klas, maar iedereen is met vakantie. Behalve wij en Sjef, omdat die allergisch is.'

'Vakantie…' Cock zuchtte. 'Dat ik dáár niet aan gedacht heb. Dat komt natuurlijk doordat ik nooit vrij heb. Dan denk je niet aan vakanties.'

'Nooit?' vroeg Camiel.

'Monden en magen hebben geen vakantie,' zei Cock. Hij pakte het blad op en liep weg.

'Als hij hier niet is, kan ik hem misschien in het noorden vinden,' hoorde Bella hem nog zeggen. 'Ik kan proberen de nieuwe stad te vinden.' Ze was te goed vanbinnen om erover na te denken.

'We moeten snel zijn,' zei Camiel. 'Als de bistro dichtgaat, is onze kans voorbij.'

Ze waren op weg naar het grote plein. Cock had hen mopperend de deur uitgezet toen Step om een toetje vroeg. Ze had op karamelletjes gehoopt.

'Toetje!' had Cock geroepen. 'Heb je die kop van jezelf wel eens gezien?'

Step begreep niet wat hij bedoelde. Maar dat was niets bijzonders. De anderen probeerden het haar niet eens uit te leggen.

Op het plein stonden drie toeristenbussen. Toch bleven ze niet staan om geld te verdienen. Ze hadden haast.

'Hebben we al een plan?' vroeg Dikkie. 'Een list om Sjef mee te krijgen?'

'We gooien zijn moeder van het balkon,' zei Step smakkend.

De anderen keken haar bestraffend aan.

'Nou ja…' sputterde Step. 'Dénk ik eens mee, is het weer niet goed.'

'Sjef móét eten,' zei Bella. 'Cock kan hem beter maken.' Ze voelde zich vanbinnen nog steeds een goudmijn. Van eten bij Cock zou Sjef op slag beter zijn. Zelfs al lustte hij geen hamburger of vis. Zelfs al mocht hij geen groente omdat er onzichtbaar vuil op zat.

Er moest toch een veilig soort eten bestaan? Iets wat niet van een dier of een plant was gemaakt en wat veilig verpakt was? Iets zonder onzichtbaar vuil en zo…

Misschien kwam het door de vis die haar zo stralend maakte. Ze wist het opeens: de pillen. De pillen die Sjef kreeg, zaten in stripjes van plastic. 'Hygiënisch verpakt,' had Sjef gezegd.

'Kom mee,' zei Bella. 'Even de supermarkt in.'

'Goed idee,' zei Step. 'Ik smelt zowat. Kijk, de druppels komen er al af.' Ze veegde over haar voorhoofd.

In de supermarkt was het druk bij de koudeluchtblazer. Boodschappen deed bijna niemand.

Ze liepen door de verlaten paadjes naar de diepvrieskist.

'Kijk,' Bella wees naar een berg bevroren witte plastic zakjes.

'Saté?' zei Camiel. 'Wat wil je daar nou mee?'

Bella deed de diepvrieskist open en pakte een pakje. Er stond een groen plaatje op.

'Saté ajam,' zei ze. 'Hygiënisch verpakt in plastic, net als Sjefs pillen. En volgens mij is ajam geen vlees en ook geen vis. Een ajam kán geen dier zijn. Hebben jullie wel eens van een ajam gehoord?'

Ze probeerden het: 'Er stond een ajam in de wei. De ajam loeide... De ajam hinnikte...'

En toen probeerden ze: 'Er zwom een ajam in de vijver. De ajam... de ajam... eh...'

Toen wisten ze het bijna zeker: een ajam was geen dier.

Er groeide een ajam uit de grond... Hij had pinda-kaaskleurige blaadjes... Nee, ook dat klonk niet alsof het kon.

'Trouwens,' zei Step, 'een ajam kán geeneens een dier

zijn. Moet je zien. Stijfbevroren. Dat overleeft zelfs een ijsbeer niet.'

'Ik hoopte het al,' zei Bella. 'Kijk, hier kan geen vuil bij. Vanwege dat plastic. Zelfs onzichtbaar vuil niet.'

'En áls er vuil aan zit, is het doodgevroren,' zei Step.

'Zullen we een zakje kopen?' stelde Dikkie voor. Hij klopte op zijn broekzak. 'We hebben centen zat.'

'Laten we het maar niet doen,' zei Camiel. 'Eerst vragen of Sjef niet allergisch is voor ajam. Anders is het zonde van het geld.'

'We moeten onderweg nog een spannend verhaal verzinnen,' zei Bella.

De hitte blies hen bijna omver toen ze weer buiten kwamen.

'Jullie weer,' zei Sjefs moeder. Ze leek nog magerder dan anders in haar gifslanggroene trainingspak.

'Het zou wel eens kunnen dat Sjef een beetje allergisch voor jullie begint te worden.' Ze snuffelde, maar rook gelukkig niets waar Sjef niet tegen kon.

'Heel eventjes dan,' zei ze.

De kinderen vluchtten Sjefs kamer in.

Sjef zat in bed met een gezicht alsof hij net iets onder zijn kussen verborgen had.

Het was lekker koel in de kamer. De dichte gordijnen hielden de warmte buiten.

Bella bekeek Sjef bezorgd. Hij verdwijnt zowat, dacht ze. Zo mager is hij.

'We gaan iets spannends doen,' zei Camiel. 'Saté ajams vangen.'

'Plukken!' verbeterde Bella. 'Net als eh… bloemen, maar dan anders.'

'Van een boom.'

'Hoe weet jij nou dat er bloemen aan bomen groeien?' vroeg Step. 'We hebben hier geeneens…'

Ze kreeg een snelle por van Dikkie en hield haar mond.

'Samen met Cock, de kok,' zei Camiel. 'Dat is leuk, man. We gaan in zijn auto naar het satébos.'

'En die auto heeft bijna geen ramen, dus je hebt geen last van de zon,' zei Bella.

'Ja,' zei Dikkie. 'En hij is zo vies dat je geeneens kan zien welke kleur hij heeft. Dat is ook fijn voor jou.'

'Dat mag ik allemaal niet van mijn moeder,' zei Sjef. 'Vanwege mijn andere allergieën. En saté is niet hygiënisch verpakt.'

'Jawel, man, dat is nou net het leuke,' zei Camiel. 'Saté ajams groeien in plastic zakjes. Daar kan geen stuifmeel bij en ook geen vuil.'

'En ze zijn stijfbevroren,' zei Step. 'Zo groeien ze toch?' Ze keek haar vrienden vragend aan. Iedereen vond het knap dat Step dit onthouden had, dus er werd heftig geknikt.

'Zelfs het vuil vriest kapot,' zei Step enthousiast. 'En je moet een dikke jas aan en een muts op. Zo koud is het in dat satébos. Het is daar altijd diepvrieswinter.'

Ze kreeg opnieuw een por omdat ze nu wel erg doordraafde.

Sjef had al die tijd stil geluisterd. Maar Bella zag die

blos weer op zijn wangen en een twinkeltje in zijn ogen.

'Je kan de boom in. Met een laddertje,' zei Camiel. 'Spannend, man. En dan mag je plukken.'

'Met handschoenen aan,' zei Dikkie.

'En alles wat je geplukt hebt, mag je opeten,' zei Step. Ze propte haar paardenstaart in haar mond.

'Saté is geen vlees en ook geen vis en het groeit niet in de grond,' zei Bella. 'Je doet de satéboombloemen gewoon in een pan met warm water. Ze hoeven geeneens gekookt te worden.'

'En het sap is lekker, jongen,' zei Dikkie. 'Net gesmolten pindakaas.'

'Voor iemand die niet van dieren houdt, is het heerlijk,' zei Camiel. Hij keek er geweldig overtuigend bij. 'Je moet écht meekomen.'

Sjef hees zichzelf een stukje omhoog. 'Ik hou wél van dieren,' zei hij. 'Ik ben dol op dieren. Mijn lievelingsdier is gebraden kip.'

'Geen rolmops?' vroeg Dikkie.

'En geen hamburger?' zei Step.

'Nee, gebraden kip. Ik weet heus wel dat een hamburger geen dier is. Hamburgers zijn gemáákt van dier. En rolmops ook. Hamburger is koeienvlees en rolmops is haring met augurk.' Hij graaide onder zijn kussen. 'En ik weet toevallig dat saté ook vlees is.'

De vier vrienden keken elkaar aan. Ze hadden nooit geweten dat Sjef verstand van eten had.

'Het is allemaal geen écht eten,' zei Sjef. 'Het is geen eerlijk eten. Gebraden kip wel. Want daar kun je niks anders van maken dan gebraden kip.'

Sprakeloos keken de kinderen elkaar aan.

Sjefs hand kwam onder zijn kussen tevoorschijn. Er zat een boek in. 'Kijk.'

De kinderen kwamen dicht rond het bed staan en bekeken het boek.

'Dit is een kookboek,' zei Sjef. '*Eerlijk eten*, heet het. Ik vond het ergens achter in de kast.'

'Wat moest jij nou achter in een kast?' vroeg Bella.

'Iets verstoppen,' zei Sjef. 'Iets wat ik zelf gemaakt heb. En toen vond ik dit boek.'

Hij bladerde tot hij de bladzijde vond die hij zocht. 'Benodigdheden,' las hij.

'Wat is dat?' vroeg Step.

'Wat je nodig hebt,' legde Sjef uit.

'Waarvoor?'

'Om te maken wat je wilt maken,' zei Sjef vermoeid.

'Wat wil je dan maken?' vroeg Step.

Iedereen zuchtte diep en Step sabbelde beledigd zwijgend verder.

'Een braadkip,' las Sjef. 'Zes tenen knoflook…' Er volgde nog een hele rij dingen die nodig waren om een kip te braden.

'Ik wist helemaal niet dat dat bestond,' zei Step, 'een kookboek. Mijn moeder leest gewoon op de verpakking hoe lang het eten in de magnetron moet. Is veel makkelijker.'

De andere kinderen knikten. Lastig hoor, een boek om uit te koken. Al dat geblader… en wat een gedoe. Gebraden kip kon je toch gewoon in de supermarkt kopen?

'Wat moet jouw moeder nou met een kookboek?' vroeg Camiel. 'Ze houdt toch helemaal niet van eten?'

'Daarom lag het natuurlijk achter in die kast,' zei Sjef. 'Ik weet het óók niet. Ik heb haar maar niet verteld dat ik het gevonden heb.'

'Lijkt je dat echt lekker, gebraden kip met al die dingen erbij?' vroeg Bella.

Sjef knikte. Je kon zien dat hij erg moe werd van het bezoek.

'Heel lekker.'

'Kiplekker,' grinnikte Dikkie.

'Hé,' zei Bella. 'Mag jij wel in kasten komen? Daar is het toch hartstikke stoffig?'

63

Sjef glimlachte geheimzinnig. 'Ik ben iets aan het maken. In de kast. Daar ziet mijn moeder het niet. Wil je het zien?'

De deur van de kamer ging open. Sjefs moeder schoot naar binnen als een vuurpijl.

'Ik dacht al, wat is het hier stil!'

Razendsnel stak Sjef Camiel het kookboek toe. Die stopte het onder zijn shirt.

'Ik moet fitnessen en naar de diëtiste,' zei Sjefs moeder. 'Ik ben tot drie uur weg. En ik wil niet dat jullie hier alleen zijn. Ophoepelen, dus.'

'Maar dan is Sjef júíst alleen,' zei Bella slim.

'Nú!'

Step gaf Camiel dekking toen ze naar buiten glipten. Zelfs de steekogen van Sjefs moeder konden niet door Steps vleesmassa heen kijken. Het kookboek werd ongezien het huis uit gesmokkeld.

Ze haastten zich de trappen af, naar buiten, waar de hitte raasde.

'En ik weet wat we gaan doen,' zei Camiel. 'Ik weet nu écht hoe we Sjef uit bed kunnen krijgen en hem beter kunnen maken.'

De auto van Sjefs moeder stoof de onderaardse garage uit. Aan het eind van de straat botste het bijna op een bestelwagentje zonder achterruiten. De kinderen zagen het niet. Ze stonden over het kookboek gebogen.

'Er heeft iemand in gekliederd,' zei Step. 'Moet je kijken, helemaal voorin staat iets geschreven. Wat zonde.'

Camiel, die het best kon lezen van iedereen, ontcijfer-

de wat er op de lege bladzijde voor in het boek stond:
VOOR JE GEBOORTE. VAN JE VADER.

'Belachelijk,' zei Step. 'Baby's kunnen toch helemaal niet lezen?'

Piri-piri

'Goed,' zei Camiel. 'Dikkie, hoe ver komen we?'

Ze stonden bij de supermarkt. De zon maakte een sauna van het plein.

Dikkie telde het toeristengeld. 'Vast een heel eind,' zei hij. 'Ik weet niet hoe duur boodschappen zijn.'

'Ligt eraan wat ze kosten,' zei Step.

De anderen zuchtten.

'Kom,' zei Bella. 'Weet je wat handig is van zo'n kookboek? Je hebt meteen een boodschappenlijstje.'

Ze liepen de supermarkt in, waar ze alle ruimte hadden.

Ze namen een karretje en gingen aan de slag. Boodschappen doen was leuk. Vooral als je wist wat je hebben moest.

Bella las voor en de anderen gingen op zoek. Kip, knoflook, boter, zout, citroen en piri-piri.

Ze hadden het wel handig gedaan in de supermarkt: op alle verpakkingen stond wat erin zat. Zo ontdekte Camiel dat een soort gele tennisballen in een netje citroenen waren.

Een kip was een blob met twee handvatten. Hij lag op een geel schaaltje en was stevig verpakt in vershoudfolie. Tegen het weglopen, natuurlijk. De ene soort kip

was bruin en er zaten gekleurde stukjes plant bij. BOE-
RENKIP stond erop. Je had ook nog ovenkip en braadkip.
Braadkippen waren wit. Die moesten nodig eens in de
zon.

Dikkie wist opeens wat de uitdrukking 'kip zonder
kop' betekende. Net als vissticks en kibbeling had een
kip geen ogen of mond. Hij pakte een braadkip uit het
vak. Dat leek hem wel handig: een kip die zichzelf kon
braden.
Zeezout waren heel grote suikerkorrels in een zak.
Knoflook waren twee witte bolletjes in een netje. Boter
bleek een blokje met glimmend papier eromheen. Het
leek wel of alsof op school zaten, zoveel leerden de kinderen over eten.

Maar piri-piri was niet te vinden. Niet bij de groente, niet bij de vleeswaren. Camiel en Bella zochten in de vakken met buitenlands eten. Ook niks.

'Dat kookboek klopt niet,' zei Step. 'Piri-piri bestaat gewoon niet.'

Camiel liep naar een vakkenvuller die een stukje verderop bezig was. Ze zagen het al aan zijn gezicht toen hij terug kwam lopen: geen piri-piri.

'Kunnen we niet zonder?' vroeg Step.

Ze keken elkaar aan. Het zou wel zonder móéten.

In hun wagentje lag een bergje boodschappen. Het zag er allemaal uit alsof het beslist niet zomaar in de magnetron kon.

Camiel bekeek het blokje boter. Er stond geen gebruiksaanwijzing op. En citroenen, wat deed je daarmee?

Ze hadden wel een kookboek, maar ja... Zonder Cocks hulp kwamen ze nergens.

Ze gingen naar de kassa. Toen ze betaald hadden, was Dikkies broekzak leeg. Ze liepen de supermarkt uit, het plein op. De hitte maakte deukjes in de tegels van het plein. De banden van het ijskarretje waren leeggelopen.

'Laten we hopen dat Cock zijn keuken nog niet heeft afgebroken,' zei Camiel.

Zo snel ze konden zonder uit te glijden over hun eigen zweet liepen ze de straten door. Voordat Sjefs moeder thuiskwam, moesten ze hun plan hebben uitgevoerd. Het kon morgen al te laat zijn. Als Cock zijn restaurant sloot, hadden ze geen plek om de kip te braden.

'Daar!' wees Dikkie opeens. Ze holden naar de bistro en loerden naar binnen met hun gezicht tussen hun handen. Er brandde licht.

Camiel rammelde aan de deurkruk. Dicht.

Dikkie liet de boodschappentas op de grond zakken. Het plastic siste een beetje.

'Nou, lekker dan,' zei Step. Ze zoog teleurgesteld haar halve paardenstaart naar binnen.

'Ruitje intikken?' stelde Dikkie voor.

Hij keek naar het kookboek in Bella's handen. Het leek hem stevig genoeg.

Cock stond plotseling achter hen alsof hij in zijn dikke jas uit de lucht was komen vallen.

'Dicht, ja,' zei hij. 'Ik ben net de huur wezen opzeggen.' Hij snoof en keek naar de plastic tas. 'Kip? Knoflook en citroen? Zeezout? Wat krijgen we nou!' In een flits had hij de tas te pakken en keek erin.

'Hmm. Jullie missen alleen de piri-piri. Maar wat heeft dit te betekenen? Zijn jullie van de magnetronpannenkoeken af? Geen kipnuggets of magnetronfriet meer? Je gaat me toch niet vertellen dat mijn goede voorbeeld gewerkt heeft?'

'Heel erg,' zei Bella. 'We willen zelf koken. Voor Sjef, om hem beter te maken. Maar we hebben geen keuken.'

'Dus piri-piri bestaat wél?' zei Camiel. 'We konden het nergens kopen.'

'Nee, vind je het gek? Hier in de stad heb je alleen maar gemaksvoer. Lekker modern, lekker makkelijk en lekker vies. Alles smaakt naar niks!'

Bella dacht aan de vis die ze gegeten hadden en hoe goud ze zich had gevoeld. Cock had gelijk.

'Wij hebben geen keuken,' zei Camiel. 'Mogen we die van u gebruiken?'

'Wát!' Cock ijsbeerde steeds sneller. 'Mijn keuken? De enige plek in deze hele rotstad waar je echt kunt koken? Jullie met je tengels aan mijn spullen?'

De kinderen knikten ernstig.

'Nee!' zei Cock, die een merkwaardig dansje deed. Hij flitste van voor naar achter, met maaiende armen. Zweetdruppels spatten als een fontein van hem af. 'Dat zou lekker wezen. Messcherpe messen, gloeiend heet vuur, loodzware pannen! Levensgevaarlijk voor een stel kookklunzen.'

Hij haalde een sleutelbos uit zijn jaszak en begon aan de deur te rammelen. 'Ik doe het wel. Het restaurant is toch al opgeheven, dus wat maakt het uit.'

Ze gingen naar binnen, door de klapdeur de keuken in.

De fornuizen waren uit, de pannen stonden stilletjes onder hun deksels. Alleen de snij- en steekwapens glommen nog alsof ze niet konden wachten.

Cock stortte de tas leeg op het glimmende aanrecht.

'Ik heb hier het recept,' zei Bella. 'Kijk maar, het staat in dit kookboek.' Ze stak Sjefs kookboek uit.

'Een kookboek!' zei Cock en het klonk alsof iemand een frikadel bij hem bestelde, zó minachtend.

Hij nam het boek met een vies gezicht aan en sloeg het open.

De kinderen zagen hem verstijven toen hij de eerste bladzijde bekeek. Zijn ogen puilden uit zijn gezicht en hij slaakte een kreet waarmee je een vis uit het water zou kunnen krijgen.

Zijn worstvingers gleden langs de letters die met de hand geschreven waren.

Toen keek hij Bella aan alsof hij een haring een handstand zag doen. 'Ben jij het dan? Jij? Nee… onmogelijk.'

'Waarom niet?' zei Step. 'Ik ben het toch óók?'

Cock luisterde niet eens naar haar.

Terwijl Dikkie, Camiel en Step toekeken, liep hij om Bella heen, besnuffelde haar, gaf een kneepje in haar bovenarm en loerde in haar ogen. De kinderen waren opeens weer als de dood voor hem. Het leek een soort vleeskeuring, die Cock uitvoerde.

'Nee, kán niet.' Cock schudde zijn grote stekeltjeshoofd. 'Onzin.'

Het volgende moment stond hij een paar stappen verderop. 'Hoe komen jullie aan dat kookboek?'

'Van Sjef,' zeiden de kinderen in koor.

'Jullie vriendje?'

Ze knikten.

'Dat niet naar buiten mag?'

Ze knikten weer.

'Van de allergie? De jongen die niets lust?'

Ze bléven knikken.

Cock had opeens enorme haast. Hij greep een platte, vierkante pan zonder steel.

'Piri-pirikip! Aan de slag!'

Alsof er een film te snel werd afgespeeld, ging Cock aan het werk. Hij sprong door de keuken. Nu weer hier, dan daar. Alles aan zijn dikke lijf bewoog. Overal vloog zweet rond.

De kip werd met een enorme klap van een breed mes platgeslagen. Cock trok de zak zeezout open, schudde hem half leeg over de kip en klopte het zout in het vel.

De vier vrienden keken toe. Een citroen ging door-midden en werd uitgeknepen boven de kip. Die zag er nu uit als een bloot, zweterig stuk rubber.

Cock zette een oven aan, die al snel rood gloeide. Het werd warm in de keuken.

Wat een gekke magnetron, dacht Dikkie. Bij ons wordt het nooit warm.

Cock mikte de kip in de vierkante pan en schoof hem in de oven.

'En nu de saus.' Uit een kast kwam een flesje met rood sap. Cock hield het omhoog zodat de kinderen het kon-den bekijken.

'Bietensap?' vroeg Dikkie.

'Bloed?' zei Step.

'Dit is piri-piri. Olie met rode pepers.'

Step kende peper alleen als poeder in een potje. Haar moeder strooide het wel eens over een tartaartje op brood.

Cock deed iets heel anders. Hij smolt boter in een pannetje, veranderde de knoflook in kleine sliertjes en deed die samen met de piri-piri bij de boter.

De kip werd uit de oven getrokken. Hij was nu niet wit meer, maar donkergeel en bruin. Hij rook naar...

Naar gebraden kip, dacht Bella. Ze snapte opeens waarom gebraden kip Sjefs lievelingsdier was. Het water liep haar in de mond.

Met een kwastje smeerde Cock de gesmolten-boter-kledder over de kip. De kip ging de oven weer in.

De keuken vulde zich langzaam met een geur die ze nog nooit hadden geroken.

Step spuugde haar paardenstaart uit. Ze was bang dat ze anders niet genoeg kon inademen.

Ook Dikkie, Bella en Camiel stonden met hun mond open. Ze wapperden met hun neusvleugels.

Groene heuvels roken ze, en vrolijke kleine huisjes waar boeren zingend wijn dronken.

De oven ging weer open en nog meer gebraden-kip-lucht stroomde de keuken in. Fluitende vogels! Een zwoel windje! Duizenden toverkleurtjes!

Cock smeerde de kip nog eens stevig in en zette hem weer terug.

'En dan nu een plastic bak met een deksel,' zei hij. 'Over tien minuten ben ik klaar. Gaan we die kip weg-brengen.'

Bella was de enige die snapte wat hij zei. 'Wegbrengen? U was toch geen afhaalrestaurant? Dat hebt u zelf ge-zegd.'

'Ik ben gesloten,' zei Cock. 'Mijn restaurant bestaat niet meer, dus ik hoef me nergens iets van aan te trek-

ken. En bovendien wil ik die Sjef met eigen ogen zien. Ik moet het zeker weten.'

De vrienden luisterden niet naar wat hij zei. Er gingen bij hen paleisdeuren open. Het rook naar gouden tronen, dikke rode tapijten en sprookjesprinsessen. Een prins op een wit paard klip-klopperde voorbij.

Step zag hem naar haar knipogen. Ze snoof diep en de prins gaf haar een snelle kus.

Camiel dacht dat hij geen kwastje in Cocks hand zag, maar een toverstaf.

Natuurlijk, dacht hij. Cock is een tovenaar. Een kookmagiër!

Dikkie was opeens blij met zijn sproeten. Robijnen op mijn wangen, dacht hij.

Maar Bella verbaasde zich. Het was niet logisch dat Cock de kip naar Sjef wilde brengen. Er klopte niks van. Cock hield niet van kinderen. Hij had geen afhaalrestaurant. Wegbrengen is het omgekeerde van afhalen, bedacht ze. Wegbrengen en afhalen is een soort van hetzelfde… Het was héél vreemd allemaal.

Cock had een grote plastic bak uit een kast getrokken. Huppelend als een loodzware balletdanser wipte hij de kip uit de oven in de bak.

'Zo, klaar. Piri-pirikip voor jullie vriendje. En jullie gaan me de weg wijzen,' zei hij. 'En vergeet het kookboek niet, want dat is héél belangrijk.'

Het braden had langer geduurd dan het leek. De tijd was omgevlogen.

Met magen die zeurden om een hapje kip liepen de
kinderen met Cock en de geur van gebraden kip mee.
Of liep Cock met hén mee?

Straat in, straat uit gingen ze. De huizen leken nog ver-
schillender dan anders. Steeds nieuwe bochten, steeds
andere pleintjes.

'Gelukkig hoeven we met dit weer niet bang te zijn
dat de kip koud wordt,' zei Cock. In zijn dikke zwarte jas
zweette hij als een blok kaas in plastic.

Hoe lang zou Sjefs moeder wegblijven? dacht Camiel.
Wat had ze ook alweer gezegd? Fitness en diëtiste... ze
zou drie uur wegblijven. Zoiets. Of was het tót drie uur?

Op een klok bij een bankgebouw zag hij dat het allang
na twee uur was. Na ontelbare straten stonden ze opeens
op het grote plein. Een groep toeristen klom puffend en
hijgend een bus in.

We gaan het niet meer redden, dacht Camiel. We komen te laat.

Haastig staken ze het plein over. Tot hun opluchting stonden ze vier straten verder bij Sjefs huis.

Dikkie belde aan en ze wachtten stil op wat er zou gebeuren. Kwam Sjef aan de telefoon, of zijn moeder?

Ze hoorden een krakerig: 'Yo?'

'Sjef!' zei Step opgetogen.

'We hebben iets voor je,' zei Dikkie. 'Een verrassing!'

Het was even stil aan de andere kant van de luidspreker.

Toen zei Sjef: 'Gebraden kip?'

De koninklijke geur van gebraden kip spoelde af en aan door de straat want Cock maakte de idiootste danspassen. Zou hij zenuwachtig zijn? En waarom dan? Hij leek een film die in stukjes was geknipt en weer in elkaar was gezet door iemand die ergens anders naar keek. Het ene moment was hij vlakbij. Daarna stond hij twee straten verderop, was hollend op weg naar het plein en danste weer om hen heen. Je werd er doodmoe van.

'Yo!' Het klonk alsof Sjef door het draadje naar de luidspreker was gekropen.

Dat zou kunnen, want hij past er inmiddels in, dacht Bella. Zo dun is hij.

'Ik doe open! Mijn moeder is er gelukkig nog niet. Maar jullie moeten op de overloop wachten. Ik heb ook een verrassing!'

De zoemer ging. Opgelucht dat ze toch nog o⸗ waren, legde Camiel zijn hele gewicht tegen ⸗ deur. De kinderen duikelden naar binnen. C⸗ het portaal in. De geur van piri-pirikip d⸗

Een autootje verdween in het gat van de parkeergarage. De kinderen zagen het niet. Ze klommen achter Cock aan de trap op.

Ikruikkip

Het was schemerig en grijs in de gang. Zelfs de gebraden kip veranderde daar niets aan.

'Woont dat vriendje van jullie híér?' zei Cock. 'Vreselijk. Vind je het gek dat ie ziek wordt?' Hij keek hen argwanend aan. 'Weten jullie zeker dat dat kookboek bij hem vandaan komt?'

Camiel knikte heftig. 'Hij had het zelf gevonden in een kast.'

Step liep naar de deur van Sjefs huis en timmerde erop. De deur ging op een kiertje, maar ze zag Sjefs gezicht niet.

Wat ze zag was grijs, alsof een stukje van de gang in Sjefs huis terecht was gekomen.

Voetstappen denderden de trap op. De deur van het trappenhuis werd opengesmeten. Sjefs moeder kwam naar binnen als een kudde paarden. Haar steekneus kwam eerst. Erachteraan kwam haar magere lijf met kleren die net zo gilden als zijzelf.

'Watmottat? Ikruikkip!'

'Ikruikkip?' herhaalde Step. 'Wazeggu?'

Sjefs moeder maaide rond met armen als een ventilator. Het was alsof ze de geur van gebraden kip de gang uit wilde wapperen.

'Beestenlucht!' gilde ze. 'De halve stad stinkt ernaar. Het hele portaal! De trap druipt van de kippenlucht! Wat zijn jullie van plan? Willen jullie Sjef vergiftigen met die stank?'

Cock was weggedoken in het schemerigste stukje van de gang. Het had niet gehoeven. Sjefs moeder had alleen aandacht voor de plastic bak waarin de kip op z'n zondags lag te ruiken.

'Kip!' krijste ze. 'Mijn arme jongetje! Ze willen je de puisten en de pest bezorgen! Ze proberen je dood te krijgen!' Bij iedere wiekslag van haar armen vloekten haar kleren met haar mee. Pimpelpaars droeg ze, met babyblauw en gevaarlijk oranje.

'Hij is al bijna dood van al die natuur die hier in het wild door de stad jakkert! Het sterft hier van het stuifmeel! Het stikt van het stof! Bacteriën, virussen, akelige ziekten...' Haar neus priemde naar de plastic bak. Daarna stak ze ermee naar Camiel. 'Wat dachten jullie: er is hier geen onkruid, laten we dan maar ongedierte meenemen? Nou, ik zal jullie wat vertellen, Sjef en ik gaan verhuizen. We gaan naar het noorden. Ze bouwen daar een stad met een koepel eroverheen. Daar komt geen korrel stuifmeel doorheen, daar houden ze de natuur pas écht buiten de deur! Weg gaan we. Weg!'

Camiel deinsde achteruit. Hij wilde iets zeggen, maar kon de woorden niet vinden. Waarschijnlijk kwam dat omdat Step ze had. 'We wilden alleen maar helpen,' zei Step met een benepen stemmetje. Ze sabbelde niet eens meer.

'Ik heb jullie wel gezien bij dat smerige restaurant,' tierde Sjefs moeder. 'Weet je wat ze daar doen? Daar hebben ze rauw vlees! Daar zitten ze met hun handen aan. Dat bakken ze in pannen waar ook eieren in hebben gelegen. Rauwe eieren! En rauwe vis! Groente zó uit de grond…' Ze stopte even om adem te halen. 'Dat is allemaal… víés.'

Nog nooit hadden de kinderen het woord vies zó vies horen uitspreken. Ze begrepen wat Sjefs moeder vies vond: vlees en vis waar bloed doorheen stroomde en allerlei andere sapjes met nare kleuren. Eieren die uit een kip rolden. Groente waar wriemelbeestjes overheen liepen… Vies was… Alles wat uit zichzelf bewoog was vies. Zelfs de wind. Want op de wind kwamen vieze luchtjes aanwaaien.

Uit het verste eind van de gang klonk gesnuif. Cocks gezicht was veranderd in een vuurrode maan. Sjefs moeder was alweer begonnen aan een nieuwe reeks vieze dingen uit de natuur. Ze bleef steken bij honing waar bijen de hele dag mee aan hun kont rondvliegen.

Cocks gesnuif vulde de hele gang, alsof er een verkouden neushoorn stond.

Sjefs moeder keek op. Ze zag Cock. Het leek alsof ook haar kleren bleek werden. 'Jij!' zuchtte ze en haar stem schoot omhoog. Het klonk alsof ze uitgleed in een berg poep. De kinderen wisten opeens wat Sjefs moeder het allerviest vond: een kok met een bolle kop.

'Jij!'

Het werd doodstil in de gang. Zelfs de kip hield op met lekker ruiken.

De deur van Sjefs huis had de hele tijd op een kier gestaan. Nu werd die kier wat groter. Het grijs van de gang dat in Sjefs huis terecht was gekomen, gleed naar buiten. Het kraakte en ritselde als een rol vuilniszakken die aan de wandel ging. Niemand zag het, niemand hoorde het. Niemand zag het wezen dat de gang in kwam.

Was het een mens, was het een dier, was het een monster? Grijs was het. Een vreemde flubberende vorm met grijparmen. Wankel, alsof er iets in zijn ogen zat, kwam het ding de gang in. Had het ogen? Zo te zien niet. Het zou dus een vis kunnen zijn, of een kip zonder kop.

In de gang keek Sjefs moeder naar Cock. De vier vrienden keken naar Cock en naar Sjefs moeder.

Cock deed een stap naar voren. Hij snoof niet meer, hij maakte een zacht fluitend geluid alsof hij langzaam leegliep.

'Jij… je bent het tóch,' zei hij met een vreemd stemmetje. 'Het enige wat ik aan je herken, is je stem. Wat is er met je gebeurd?'

De ogen van Sjefs moeder waren net zo hard als haar stem. 'Ik dacht wel dat jij in dat restaurant zat! Ik dácht het wel! Ik heb nog in de auto de wacht zitten houden, maar jij durfde je niet te laten zien! Lafaard! Kinderen het werk laten doen, hè? Je bent nog net zo'n slappe flapdrol als altijd!'

De vier vrienden luisterden ademloos. Het grijze stuk gang stond stil in de schemering. De grijparmen bungelden wat. Wat zou Cock antwoorden? Of trok hij als antwoord een mes en maakte hij een proefpersoon van Sjefs moeder? Flinterdunne plakjes mager vlees?

'Dus je zat hier!' zei Cock. 'Hier in Halmare. De laatste stad van het land waar ik jou zou zoeken. De één na laatste. Je had ook nog in het noorden kunnen zitten…'

'Juist. Ik zat hier, dikmaker!' krijste Sjefs moeder. 'Ik heb me verstopt. Voor jou!'

'Dikmaker.' Step grinnikte.

Sjefs moeder keek haar aan alsof ze haar rauw lustte. Gelukkig was dat niet waar. Sjefs moeder lustte niets en zeker niet rauw.

'Já! Díkmaker!'

'Er is niks meer van je over,' zei Cock. 'Je was zo'n gezellige stevige meid. Wat heb je met jezelf gedaan?'

'Wat ík heb gedaan? Ík? Weet je nog dat ik steeds dikker werd? Dikker en dikker? Dat was jouw schuld!' Ze priemde met haar wijsvinger.

De kinderen keken haar aan. Ze konden zich er niets bij voorstellen, een dikke moeder van Sjef.

Achter hen schuifelde iets. Er schoof iets. Een plastic deksel werd opengetrokken. De geur van gebraden kip stroomde door de gang als een zoet warm parfum van lente en zomer, blozende sinaasappels en wuivende druivenranken. Wat dat dan ook allemaal mochten zijn.

Camiel stootte Bella aan. 'Die twee kennen elkaar,' fluisterde hij.

'Zou je denken?' vroeg Bella. Ze keek naar de plastic bak. Hij was leeg. Aan het einde van de gang zat een vreemde grijze figuur te eten. Stukken kip verdwenen in rap tempo in een kaarsrechte scheur in het grijs. Daarbinnen druppelde iets, alsof iemand lekte.

Terwijl Sjefs moeder verder tierde, liepen Camiel en Bella naar het grijze ding. Camiel duwde ertegen. Het grijs gaf mee. Het voelde aan als glad plastic. Vuilniszakkenplastic.

Bella pulkte aan het scheurtje, dat groter werd. 'Kom er eens uit,' zei ze.

'Ik kan er niet uit,' zei het grijs met Sjefs stem. 'Dit is mijn anti-allergiepak. Lichtdicht, kleurdicht, stuifmeeldicht... het is zelfs zomerdicht.'

'Dit is een rol vuilniszakken,' zei Bella.

'Goed, hè?' zei Sjef. 'Ik heb ze zelf aan elkaar geplakt. En nu beschermen ze me tegen alles, behalve tegen de stem van mijn moeder. Tegen wie staat ze zo te brullen?'

'Tegen Cock,' zei Camiel. 'Hij heeft de kip voor je klaargemaakt.'

'Iets te weinig piri-piri,' zei Sjef. 'Maar verder erg lekker. Het water loopt uit mijn mond.'

'Je bent haast onzichtbaar,' zei Camiel. 'Net zo grijs als de gang. Kom je straks mee? Je kunt vast mee naar buiten glippen.'

'Dat was ook het plan,' zei Sjef. 'Slim, hè? Nou even luisteren, hoor. Waar gáát het over?'

Step en Dikkie stonden met halfopen mond naar Sjefs moeder te luisteren. Ze begrepen er niets van, dat zag je. Bella en Camiel zouden het antwoord zelf moeten uitvissen.

'Maar je was opeens weg!' zei Cock. 'Je was zomaar verdwenen! Ik heb je moeder nog gebeld waar je geble-

ven was. Ik heb brieven gestuurd. Je hebt me nóóit antwoord gegeven.' Cocks rode gezicht was intussen veranderd in een maan met blosjes. Alsof hij zich schaamde.

'Vind je het gek? Ik was alleen maar een buik op benen! Ik schaamde me kapot. Negen maanden lang werd
ik elke dag een beetje dikker. Negen maanden! En wat
deed jij? Je stuurde een kookboek naar mijn moeder!
Een kóókboek! Je vond me zeker nog niet dik genoeg,
hè?'

'Het was een cadeautje,' zei Cock. 'Een cadeau voor
het kindje in je buik.'

'Wist ik veel dat ik dáárom zo dik werd!' snerpte Sjefs
moeder. 'Ik dacht dat het kwam van al die kookluchtjes
uit jouw keuken. Je wíst dat ik van een glas water al
zwaar word. Je wist dat ik aankom van de lúcht van een
gebakken eitje.'

'Je had met me kunnen praten voordat je ervandoor
ging,' zei Cock pips. 'Ik wist wel dat je een kindje ver-
wachtte. Dat had ik je zó kunnen vertellen.'

'Ha!' De stem van Sjefs moeder sneed als een mes door
een pak zachte boter. 'Alsof jij tijd had om te praten of
iets te vertellen. Je moest soep trekken. Je moest zoete
broodjes bakken. Je moest... Ach, jij was altijd druk met
dingen maken die kant-en-klaar in de winkel liggen.'

'Oef,' zuchtten Bella en Camiel tegelijk. Dat ze zoiets
tegen Cock durfde te zeggen... Zou hij nu gehakt van
haar maken?

'Dat kookboek...' zei Cock.

'Dat is er niet meer! Stel je voor dat Sjef het zou vinden! Wie weet wat er met hem zou gebeuren? Hij zou net zo gek als jij kunnen worden! Net zo'n enge puurnatuurgriezel.'

Cock keek haar aan. Die is niet goed snik, kon je op zijn voorhoofd lezen.

Bella keek naar het kookboek dat ze nog steeds onder haar arm had. Ze dacht aan wat erin geschreven stond. VAN JE VADER. VOOR JE GEBOORTE.

Opeens begreep ze het. Ze begreep wie Cock gezocht had. Een kind van wie hij de naam niet kende. Hij wist niet eens of het een jongen of een meisje was.

Daarom bekeek hij me zo, dacht ze. Hij keek om te zien of ík het was. 'Sjef…' zei ze.

Grijs vuilniszakkenplastic ruiste. Sjef kwam tevoorschijn als een spook uit het niets. Een mager koppie in een enorme plastic capuchon. Een geur van gebraden

kip barstte los toen het vuilniszakkenpak van hem af gleed.

Step had haar hele paardenstaart over voor een hapje piri-pirikip. Haar neus rook zich te pletter en haar maag was van plan een oorlog te beginnen om de gebraden kip te veroveren. En daar stond Sjef te geuren alsof hij zélf een piri-pirikip was.

Zijn moeders neus kreukelde in haar gezicht. Ze dook vooruit en veranderde in een sliert van kleur toen ze naar haar zoon holde.

'Wat heb je gedaan? Je hebt gegeten! Je hebt kip gegeten!'

Sjef knikte en likte een druppeltje vet uit zijn mondhoek.

'Dat is gesmolten vet!' jammerde zijn moeder. 'Daar word je dik van! Dierlijk vet!'

Ze draaide zich even naar Cock. 'Je wilt hem dood!'

'Waarom schreeuw je zo naar die meneer, mam?' vroeg Sjef. Hij zag Cock voor het eerst.

'Die man…' brieste zijn moeder. 'Die man is er de schuld van dat jij geboren bent!'

'Pap?' zei Sjef.

'Bij ons duurde het na het eten veel langer voor we dat konden zeggen,' zei Step. 'Heb je nog honger of zo?'

'Sjef heeft geen honger!' De stem van Sjefs moeder stond op knappen. 'Sjef heeft nóóit honger, hè, Sjef? Want je bent allergisch. Dat weet je. Dat heeft mama je steeds maar weer verteld.'

Ze danste pas op de plaats en leek zo plotseling een

beetje op Cock. 'En Sjef doet wat zijn mammie zegt, hè, Sjef? Als mammie zegt dat je allergisch bent, dan ís dat ook zo.'

Sjef stapte uit de zee van grijs plastic. Het leek alsof hij zweefde. Langs Camiel en Bella, langs Step en zijn moeder, langs Dikkie.

'Dag pap,' zei hij. 'Bedankt voor het kookboek. Ik heb er heerlijk in gelezen.'

'Jongen,' zuchtte Cock. Hij nam Sjefs hand in zijn enorme worstvingers. Samen liepen ze naar de deur van het trappenhuis.

'Je kunt niet naar buiten!' riep zijn moeder. Ze barstte in een vreemd nagemaakt huilen uit. 'Luister naar mammie. Je bent allergisch. Voor alles.'

'En voor jou het meest, mam,' zei Sjef.

Step keek naar de vertrapte resten van het vuilniszakkenpak.

Daar hadden we een hamburger voor kunnen kopen, dacht ze.

Toen ging ze met haar vrienden achter Cock en Sjef aan de trap af. Nog straten verder konden ze Sjefs moeder horen huilen als een sirene.

Cock en Sjef

Het regende alsof het nooit anders gedaan had. Halmare stond als een taart met glimmend nat glazuur onder de grijze wolkenlucht. Op het grote plein holden de toeristen pootje badend naar de hamburgerzaak. Mensen vluchtten de supermarkt in om droog te worden onder de luchtblazer.

In heel Halmare schoot onkruid op. In iedere richel, uit iedere kier kwamen plantjes tevoorschijn. Wriemelbeestjes met veel pootjes kropen over de vochtige betonnen stoepen. Er waren beestjes met te veel pootjes en beestjes helemaal zonder.

De toeristen waren blij als ze hun bus weer in mochten. Dolblij dat ze niet in deze stad vol kruip- en kronkelleven woonden.

Een klein autootje slipte in een waaier van water en botste net niet tegen het ijskarretje. Met Sjefs moeder achter het stuur reed het even later de stad uit, op weg naar het noorden waar ze bewoners zochten voor een stad die zó modern was dat bijna niemand hem kon vinden.

In Cocks Bistro zaten de vijf vrienden aan een tafel. Ze hadden glazen warme chocolademelk voor zich.

'Dit komt wél van een koe, maar niet van een koe die chocolade graast,' had Cock gezegd toen hij de glazen neerzette.

'Op Sjef!'

'En op jou, pap!'

Ze proostten en voor de zoveelste keer vertelde Cock zijn verhaal. Hoe hij Sjefs moeder was tegengekomen toen ze allebei nog jong waren en Cock nog niet zo kaal. En Sjefs moeder nog niet zo mager.

'Ze werkte in de gezondheidswinkel,' zei Cock. 'Vitaminepillen. Gezonde drankjes. Namaaketen en namaakdrinken. Ik werkte in het restaurant naast die winkel. Ik wilde haar laten zien dat écht eten gezonder is. Zij wilde laten zien dat pillen en drankjes beter waren. Altijd hadden we ruzie. We konden nooit wat aan elkaar toegeven. We lustten elkaar rauw. Dat moest wel echte liefde zijn. Waar je het meest van houdt, dat eet je het liefst op. Toch?'

'Gebraden kip,' zei Sjef.

'Bijvoorbeeld!'

'Hamburgers,' smakte Step.

'Karamel,' zei Bella.

'Of vis,' zei Camiel.

En Dikkie zei: 'Nou hebben we nog steeds geen saté gehad.'

'Maar ze ging ervandoor toen ze jou moest krijgen,' zei Cock. 'Kinderen krijgen hoort bij de natuur en daarom was ze er als de dood voor. Voor haar dikke buik en voor jou ook, denk ik. Jarenlang heb ik haar gezocht. En

jou natuurlijk, jongen. Overal restaurants begonnen.
Overal briefjes opgehangen, want ik wist dat een kind
van mij geen nee zou zeggen tegen eerlijk en heerlijk
eten. Vroeg of laat zou je voor mijn neus staan.'

'Gelukkig heb je me nu gevonden, pap,' zei Sjef.

Hij woonde pas een week bij Cock boven de bistro,
maar hij was al wat dikker geworden. Van allergieën had
hij geen last meer. Geen centje pijn, niks aan de hand.

'Wat erg dat ze nu ieder grammetje vet van haar lijf
probeert te sporten.' Cock zuchtte. 'Ik heb het gevoel dat
dat mijn schuld is. En al die pillen...' Hij zuchtte nog
eens diep. 'Heb je geen spijt dat je hier bij mij bent gebleven?'

Sjef gaf geen antwoord. Zijn grijns zei genoeg.

Even was het stil. Toen sprong Cock op. 'En nu gaan we iets lekkers koken. Als aandenken aan je moeder. Want we mogen haar nooit vergeten. En jij zeker niet. Kom mee, we gaan speenvarken maken! Speenvarken doet me altijd aan je moeder denken.'

'Mager speenvarken?'

'Krijsend mager.'

Vader en zoon verdwenen de keuken in.

'Tja,' zei Dikkie. 'Mooi geen saté dus.'

'Misschien kunnen ze later samen een bistro beginnen,' zei Camiel. 'Dat zou leuk zijn. Bistro Cock en Sjef.'

'Of net andersom,' zei Bella. 'Bistro Sjef en Cock.'

Nee, dacht Step. Dat moet natuurlijk Bistro Chefkok zijn.

Ze schrok van haar eigen gedachte en zweeg sabbelend.

Bies van Ede

Verdwaald op de rivier

vanaf 10 jaar

NUR 283

ISBN-10 90 00 03653 4

ISBN-13 978 90 00 03653 0

Jeroen en Yara gaan tijdens de zomervakantie logeren bij hun favoriete oom Jouke in Haarlem. Tijdens een wandeling gebeuren er ineens heel rare dingen: Jeroen denkt de man van het beeld op de Grote Markt te zien lopen en ze zien een jongen schaatsen op de rivier terwijl het hartje zomer is.

De tweeling komt erachter dat oude verhalen in Haarlem rondjes blijven dwalen, net als het water van Het Spaarne. De vreemde mensen die ze zien zijn allemaal historische Haarlemmers die gevangen zitten in de verhalen die steeds maar over hen worden verteld: Lourens Coster, Kenau Hasselaer en Hans Brinker. Als ze zelf ook dreigen gevangen te raken, is het hoog tijd voor actie.

'Bekende legendarische figuren worden speels in een historisch correcte context gezet in een spannend, beeldend verhaal met een heldere plot.' NBD

'De oude verhalen die op de stroom mee dobberen, komen in *Verdwaald* op de rivier allen weer tot leven.' *De Haarlemmer*